21世纪高职船舶系列教材

SHIJI GAOZHI CHUANBO XILIE JIAOCAI

船舶工程专业

造船工程管理

ZAOCHUAN GONGCHENG GUANLI

主　编　龚海燕
主　审　蔡厚平

哈尔滨工程大学出版社
Harbin Engineering University Press

内 容 简 介

随着世界船舶业的发展,我国造船工业也迅速发展,并已成为世界造船大国之一,造船模式也由传统转向现代造船模式。

本书旨为培养适合现代造船模式的管理人才,面向基层管理者必须掌握的管理技能进行编写,主要从造船工程管理的计划、质量、成本和安全四个方面介绍了工程管理的基本原理、方法以及充分发挥管理者领导能力的技巧。

图书在版编目(CIP)数据

造船工程管理/龚海燕主编. —哈尔滨:哈尔滨工程大
学出版社,2009.8(2021.8 重印)
ISBN 978 - 7 - 81133 - 534 - 7

Ⅰ.造⋯　Ⅱ.龚⋯　Ⅲ.造船工业 - 工业企业管理 - 研究 -
中国　Ⅳ.F426.474

中国版本图书馆 CIP 数据核字(2009)第 152992 号

出版发行	哈尔滨工程大学出版社
社　　址	哈尔滨市南岗区南通大街 145 号
邮政编码	150001
发行电话	0451 - 82519328
传　　真	0451 - 82519699
经　　销	新华书店
印　　刷	哈尔滨圣铂印刷有限公司
开　　本	787 mm × 1 092 mm　1/16
印　　张	8.75
插　　页	5
字　　数	246 千字
版　　次	2009 年 8 月第 1 版
印　　次	2021 年 8 月第 7 次印刷
定　　价	19.00 元

http://www.hrbeupress.com
E-mail:heupress@hrbeu.edu.cn

21世纪高职系列教材编委会

（按姓氏笔画排序）

主　　任　　孙元政

主任委员　　丛培亭　　刘　义　　刘　勇　　杨永明
　　　　　　张亦丁　　季永青　　罗东明　　施祝斌
　　　　　　倪依纯　　康　捷　　曹志平　　熊仕涛

委　　员　　丛培亭　　刘　义　　刘　勇　　刘义菊
　　　　　　孙元政　　闫世杰　　杨永明　　陈良政
　　　　　　沈苏海　　肖锦清　　周　涛　　季永青
　　　　　　罗东明　　俞舟平　　胡启祥　　胡适军
　　　　　　施祝斌　　钟继雷　　唐永刚　　徐立华
　　　　　　郭江平　　倪依纯　　康　捷　　曹志平
　　　　　　熊仕涛　　潘汝良　　蔡厚平

前言

造船工程管理
ZAOCHUAN GONGCHENG GUANLI

随着世界船舶业的发展，我国造船工业也迅速发展，并已成为世界造船大国之一，造船模式也由传统转向现代造船模式，因此，为培养适合现代造船模式的管理人才特编写本书。

工程管理人员一般分高、中、基层三个层次。本教材主要面向基层管理者，教材内容主要围绕基层管理者必须掌握的管理技能进行编写。本书主要从造船工程管理的计划、质量、成本和安全四个方面介绍了工程管理的基本原理、方法，以及充分发挥管理者领导能力的技巧。

参加本书编写的有南通航运职业技术学院龚海燕(第一章、第六章)，茅蓉蓉(第四章、第五章)，李金(第三章、第七章、第八章)，钱天龙(第二章)。

本书特请南通航运职业技术学院蔡厚平副教授审阅全书，在审阅中他提出了很多宝贵意见，特致谢意。

本书在编写的过程中得到了南通中远川崎船舶工程有限公司制造部部长翟亚军的帮助，在此谨致谢意。

由于编者经验不足、水平有限，书中难免有错误和不妥之处，敬请广大读者批评指正！

编　者

2008 年 10 月

目录

21世纪高职船舶系列教材

SHIJI GAOZHI CHUANBO XILIE JIAOCAI

造船工程管理

目录

21世纪高职船舶系列教材

SHIJI GAOZHI CHUANBO XILIE JIAOCAI

造船工程管理

第一章 造船工程管理概论

任何一项工程或项目的实施都离不开管理,造船生产同样需要管理,造船工程管理既有工程管理的普遍性,又有其特殊性,要学习造船工程管理,先要掌握管理基本原理。

第一节 管理概述

管理活动是与人类社会的生产和生活相伴而生的,随着生产力和社会的发展,它已经成为人们社会生活的重要组成部分。

一、管理的概念

管理是一个古老的概念,人们一直在对管理基本内涵和本质属性进行探讨。中外学者从不同角度对管理进行了如下阐释。

"科学管理之父"弗雷德里克·泰勒认为:"确切知道你要别人干什么,并使他们用最好最经济的方法去干。"他进一步认为,"管理的主要目的应该是使雇主实现最大限度的富裕,也联系着使每个雇员实现最大限度的富裕。"

法国管理学家亨利·法约尔认为:"管理就是实行计划、组织、指挥、协调和控制。"它是"一种分配于领导人与整个组织成员之间的职能"。

诺贝尔奖获得者、决策理论学派代表人物赫伯特·西蒙认为:"管理就是决策。"在他看来,管理活动的全过程都是决策过程。

以上各种认识,都是从不同角度去观察的。因而侧重点各异,见解差异很大。形成这种局面的原因有以下几方面。

第一,管理是一种复杂的活动,使人很难揭示其本质特征。管理对象,涉及人、财、物、时间、信息等;管理成败的因素,涉及管理者、被管理者的素质条件和环境条件。而其中人又是最为复杂的管理对象。人的世界观、价值观各式各样,个性、爱好、能力、特长、认识水平、文化修养更是千差万别。人与人发生了联系,以及人与其他管理对象发生了联系就会产生种种复杂的问题。而人们又常常是处于一个局部范围来从事管理和研究管理活动的,难以对如此丰富、复杂的对象作出总体、全面的概括和认识。

第二,管理活动界限是不确定的,使人很难认定其基本范围。对于管理学来说,哪些工作是该管理的,哪些活动是不该管理的,只能在一个非常相对的意义上来认识,或者只能在一个人为划定的范围来确认,但这并不具有一个客观的、确定不移的界限。即是说,在某些情况下,管理活动的责任范围与非管理活动的责任范围或责任范围与责任范围之间的界限很难认定。这就给人们带来了对管理内涵的认定的困难。

第三,管理学是一门年轻的学科。管理学形成一门独立学科,仅 100 多年的历史,和一些传统学科比起来还很不成熟,需要进一步研究的领域还很多。随着管理活动与管理理论的发展和研究的深入,一些新的实践活动和理论问题被认识,经验不断地被总结,规律不断地被揭示,以致人们不断地形成新的见解,提出新的定义。

21世纪高职船舶系列教材

ERSHIYISHIJI GAOZHI CHUANBO XILIE JIAOCAI

由于以上原因,对管理究竟是什么的问题,认识还会不断地深化,管理的概念一时还难以统一。而且,这种仁者见仁,智者见智的局面还将继续存在一个较长的时期。

但另一方面,众多的管理学家和管理工作者已对管理概念的内涵做了较深入地探索,已有了相当程度的理论基础;而且尽管管理活动具有复杂性、随机性和存在的广泛性等特点,但它绝不是不可认识的。

那么,管理究竟是什么呢？目前虽尚无定论,但它的构成要素是清楚的,即管理活动中必然包括：

（1）管理者——具有一定职权和能力的个人或集体；

（2）管理对象——管理活动所涉及的客体,如人、财、物、时间、信息、事件等；

（3）管理方式——管理活动赖以进行的条件和途径,如组织机构、权力职责、规章制度、方法手段、物资设备等；

（4）管理结果——管理活动所要实现的最终目标,如目的、任务等。

我们可以看到,管理是一种活动,而活动的特性是一个过程。因此,我们可以形成一个概念:管理是管理者在特定的环境和条件下,通过一定的方式,协调各种关系,发挥人员的积极作用,有效地使用物力、财力等管理资源,实现组织目标的过程。

二、管理的地位

有人说,人类生存的第一需要是物质,社会发展的第一需要是管理。因而人类社会在任何发展阶段和任何形式的集体活动都离不开管理。

一些经济发达国家的发展史也证明了管理的重要地位。日本的发展有两个高峰期。一是19世纪下半叶到20世纪初,仅仅经过半个世纪的发展,到1905年的日本的工业水平和经济实力就足以使它敢于发动大规模的战争,当第一次世界大战在欧洲大陆展开的时候,日本在军事上和工业上都已经是亚洲的一个大国了。二是第二次世界大战以后,日本经济的发展称得上是一个奇迹。从1945年到现在的60余年间,日本经济从濒于崩溃的局面一跃而成为国民生产总值居世界前列的强国,令国际社会刮目相看。就这两个经济发展的高峰而言,都与日本如饥似渴地学习各国的管理经验以及根据自己的国情强化管理有关。

另外,我们还看到,条件基本相同的不同单位,由于管理措施的差异,也使他们的效果明显不同。美国一家电子机械厂分别在日本东京和美国设立了两个生产车间,人数、设备、技术完全相同,唯一不同的是东京车间按日本方式管理,美国车间按美国方式管理,结果日本车间单位时间的产量要高出15%。

国外某研究机构有一项研究结果指出,一个普通工人提出技术革新的建议,一般能降低成本5%；一个科技人员的建议,一般能降低成本5%～10%；而管理人员推广的现代管理方法降低生产成本的幅度可达30%。

由此可见,管理对于经济发展的作用是巨大的。因此,欧美国家一些从事管理的人士向来认为,一个国家的经济发展依靠三样东西,一是科学,二是技术,三是管理。他们把一个国家的经济状况形象地称为一只鼎,科学、技术和管理是这只鼎上的三只足。在日本,人们则习惯于把一个国家的经济称为一辆车,而科学技术和管理被认为是经济这辆车运转的两个轮子。

三、管理的职能

管理活动是由具体职能来承担和实现的。管理的基本职能一般划分为计划、组织、领导和控制四个方面。作为基本职能，它们集中体现了管理的基本活动和功能，并且涵盖了管理其他方面的职能。

1.计划职能

计划职能是为未来活动要达到的目的和结果所进行的事先筹划或安排。具体而言，计划职能就是明确管理的总体目标和各分支目标，并围绕这些目标对未来活动的具体任务、行动路线、行动方式、行动规则等方案进行规划、选择、筹划的活动。也就是说，计划职能包含着确定管理目标和任务、决策以及选择、制定行动方案等内容。计划职能是管理活动的首要职能，它是管理活动的起点，是确定管理目标的首要步骤，也是实现管理目标的必经途径。计划职能对于管理活动具有至关重要的作用。

2.组织职能

一切管理活动都是借助于特定的组织进行的，组织职能是管理者按照组织的特点和原则，进行组织设计，构建有效的组织结构，合理配置各种管理资源并使之有效运行，以实现管理目标的活动。组织是管理的载体和基本途径，组织对于管理具有基础性和工具性意义。组织职能是管理活动的根本职能，是其他一切管理活动的保证和依托。

3.领导职能

领导职能是管理者按照管理目标和任务的要求，运用法定的管理权力，影响他人行为和引导员工，为了实现管理目标而贡献力量和积极行动的活动。领导职能是管理过程的活的灵魂，集中体现了管理者的素质、能力和管理艺术，是实现管理效能的关键。领导职能常被视作管理活动的核心环节。

4.控制职能

控制职能是按照既定的目标和标准，对组织的管理活动和管理过程进行衡量校验，发现偏差并分析原因，采取有效措施纠正偏差，保证组织目标实现的过程。控制职能是管理过程的监视器和调节器，它对于管理过程的顺利进行具有重要的保证作用。

上述职能并不是截然分开的，而是相互交叉、渗透，融为一个有机的整体。决策、协调、沟通等具体管理职能始终伴随着管理活动的循环过程，并渗透、融入到计划、组织、领导和控制基本职能之中。随着人类管理活动范围的扩大，管理手段的不断发展，管理的职能也会不断地丰富和完善。

四、管理的属性

管理的属性是由管理活动的自身的性质和特点产生和形成的。一般来说，管理活动具有如下基本特性。

1.管理的二重性

(1)管理的自然属性。管理的自然属性是指管理与生产力、社会化大生产相联系的属性。管理是社会分工与协作的产物。在许多个人以社会结合和协作方式进行的生产过程中，生产活动的联系、协作和有效进行，必然需要一个整体性的统一指挥的意志，需要遵从这一意志的统一管理和支配。管理的自然属性表明了在共同劳动条件下管理的必要性，它取决于生产力发展水平和劳动社会化程度，是管理的一般属性。

(2)管理的社会属性。管理的社会属性是指管理与生产关系、社会制度相联系的属性。作为一种社会活动,管理是在特定的社会经济政治关系中进行的,是由不同社会中占统治地位的社会经济政治关系所决定的,必然受到社会生产关系、社会制度、意识形态的影响和制约。不同的社会制度类型、不同的社会历史发展阶段、不同的社会意识形态和社会文化结构,都使管理呈现出一定的差异,从而使管理更具特殊性和个性。

管理的二重性是管理的本质属性,是社会化生产过程中生产力和生产关系共同作用的结果。生产力决定了管理的自然属性,生产关系决定了管理的社会属性。正确认识管理的二重性,对于我们正确认识管理的地位和作用,全面把握管理的性质和要求,正确地批判与继承、学习与创新世界各国的管理经验和管理成果,都具有重要的现实意义。

2. 管理的科学性和艺术性

管理不仅是一门学科,而且还是一门艺术,是科学性与艺术性的统一。

(1)管理的科学性。管理的科学性是指管理系统的理论知识体系,是由一系列概念、原理、原则和方法构成的科学体系,有内在的规律可循。管理发展到今天,已经形成了比较系统的理论体系,揭示了一系列具有普遍应用价值的管理规律,总结出了许多管理原则。这些规律和原则是由许多管理学家在长期总结管理工作的客观规律的基础上形成的,用以指导人们从事管理实践,是理论与实践高度凝结的产物。有了系统化的科学的管理知识,人们才能对组织中存在的管理问题提出可行的、正确的解决办法。

(2)管理的艺术性。管理的艺术性是指把已经科学化的管理理论知识具体化为要操作的管理方法、管理技巧和管理手段。管理的科学性作为一种被系统化的管理理论知识体系,是对所有行业的企业都具有普遍指导意义的一种理念。但在现实中,由于每一个行业及其行业内的每一个企业的自身特点以及所处的环境不同,使得科学的管理理论在每一个行业及其行业的每一个企业中的运用必然会有所不同。因此,它要求管理者以管理的理论原则和基本方法为基础,结合实际,对具体情况作具体分析,以解决问题,从而实现组织的目标。从这个角度来看,管理即是利用系统化的知识并根据实际情况发挥创造性的艺术。

没有系统化的知识体系形不成科学,没有实践性则没有艺术。管理的科学性与艺术性并不互相排斥而是互相补充的,是管理活动中不可分割的两个方面。管理的科学性是管理艺术性的基础,揭示管理的本质和理性;管理艺术性是管理科学性的升华,揭示管理的现象和感性。在管理过程中,不能只注重管理的科学性而忽视其艺术性,也不能只注重管理的艺术性而忽视其科学性,应该实现科学性和艺术性的有机统一。

五、管理的对象

管理对象也称为管理的客体,是指管理者实施管理活动的对象。管理者必须了解管理对象的属性与功能,以便加以科学地组织和协调。管理对象主要包括以下几点。

1. 人员。人员是管理对象中的核心要素,所有管理要素都是以人为中心而存在和发挥作用的。对人的管理主要涉及人员分配、使用、工作评价、奖惩、人力开发等。

2. 资金。资金是任何社会组织,特别是营利性经济组织的极为重要的资源,是管理对象的关键性要素。要保证职能活动正常进行,经济、高效地实现组织目标,就必须对资金进行科学的管理。对资金的管理主要涉及财务管理、预算控制、成本控制、资金使用、效益分析等。

3. 物资设备。物资设备是社会组织开展职能活动,实现目标的物质条件与保证。通过

科学的管理,充分发挥物资设备的作用,也是管理者的一项经常性工作。对物资设备的管理主要涉及资源利用、物料的采购、存储与使用、设备的保养与更新、办公条件和办公设施等。

4.时间。时间是组织的一种流动形态的资源,也是重要的管理要素。管理者必须重视对时间的管理,真正树立"时间就是金钱"的意识,科学地运筹时间,提高工作的效率。对时间的管理主要是如何合理安排工作时间并提高工作效率,在最短的时间内达到组织目标等。

5.信息。在信息社会的今天,信息已成为极为重要的管理对象。信息既是组织运行、实施管理的必要手段,又是一种能带来效益的资源。管理者必须高度重视,并科学地管理好信息。对信息的管理主要涉及组织外部、内部信息的快速收集、传递、反馈、处理与利用、发展趋势的准确预测等。

6.社会信用。社会信用是组织的无形资产,同样也是重要的管理对象。对信用的管理,如通过组织的实践活动、媒体宣传和从事公益事业等手段,树立本组织良好的社会声誉和社会形象,为组织目标的实现创造良好的环境。

六、管理的主体

管理的主体是管理者,管理劳动是社会生产过程中分离出来的一种专门劳动,是一种职业。并非人人都可以成为管理者,只有具备一定素质和技能的组织成员,才有可能从事管理工作。

1.管理者的层次

管理者是组织的核心和灵魂,他们对组织的生存和发展起着至关重要的作用。由于管理者在组织中的责任和权限不同,所以他们所担负的具体工作内容也不同。根据管理者在组织中所处的层次不同,通常把管理者分为高层管理者、中层管理者和基层管理者。

(1)高层管理者

高层管理者处于组织的最高层,是对整个组织的管理全面负责的人。他们的主要职责是制定组织的大政方针、评价组织的绩效、沟通组织与外界的交往联系。在很多情况下,组织的成败往往取决于高层管理者的一个判断、一个决策或一项安排,为此高层管理者把主要精力和时间都放在全局性或战略性问题以及组织环境问题的分析研究决策上。

(2)中层管理者

中层管理者是处于高层管理者和基层管理者之间的承上启下的一个或若干个中间层次的管理人员。他们的主要职责是贯彻执行高层管理者制定的决策,指挥、监督和协调基层管理者的活动。中层管理者更注重日常的管理事务。

(3)基层管理者

基层管理者,又称现场监督者,是组织中最低层次的管理人员。他们的主要职责是直接指挥和监督现场作业人员,保证完成上级下达的各项计划和指令。基层管理者最关心的是具体任务的完成。

通常情况下,多数组织都是按照高层管理者、中层管理者、基层管理者的顺序进行排列,加上组织中的基层作业人员,形成传统的金字塔形的组织结构,如图1-1。

2.管理者的技能

管理者的层次和所扮演的角色各不相同,他们能否行之有效地开展管理工作,很大程度上取决于他们是否真正具备了管理所需的相应管理技能。通常而言,作为一名管理者应该具备的管理技能主要包括概念技能、人际技能、技术技能三大方面。

21世纪高职船舶系列教材

ERSHIYISHIJI GAOZHI CHUANBO XILIE JIAOCAI

（1）概念技能

概念技能是管理者对复杂情况进行抽象和概括的能力。概念技能包括理解事物的相互关联性从而找出影响因素的关键能力，确定和协调各方面关系的能力，以及权衡不同方案优劣和内在风险的能力等。任何管理者都会面临一些混乱而复杂的环境，管理者应能综观全局，认清各种因素之间的相互联系，抓住问题的实质，并根据形势和问题果断地作出正确的决策。管理者所处的层次越高，其面临的问题越复杂、越无先例可循，就越需要概念技能。

图 1-1　组织人员层次图

（2）人际技能

人际技能是指与处理人际关系有关的技能，或者说是理解、激励他人并与他人打交道的能力。人际技能包括沟通、领导和激励三个方面的能力，是一种非常重要的技能，对于高、中、低层管理者激励、引导和鼓舞员工的工作热情和信心，最大限度地调动员工的积极性和创造性，都具有重要的意义。

（3）技术技能

技术技能是指使用某一专业领域内有关的工作程序、技术和知识，完成组织任务的能力。对于管理者来说，虽然没有必要使自己成为精通某一领域技能的专家，但也要掌握一定的技术技能，否则就很难与他所主管的专业技术人员进行有效地沟通，从而也就无法对他所管辖的各项业务工作进行具体地指导。

上述三种技能是各个层次管理者都需要具备的，只不过不同层次的管理者对这三个技能的要求程度不同罢了。一般来说，低层管理者每天大量的工作是与从事具体作业活动的作业人员打交道，他们必须全面而系统地掌握与本单位工作内容相关的各种技术技能，而概念技能要求较弱；高层管理者需要制定全局性的决策，所作的决策影响范围广、影响周期长，必须具有较高的概念技能，专业技能要求不高；而人际关系技能是组织各层管理者都应具备的技能。不管是哪一层的管理者，都必须掌握与各方面人员进行有效沟通的技能，以便相互合作，共同完成组织目标。

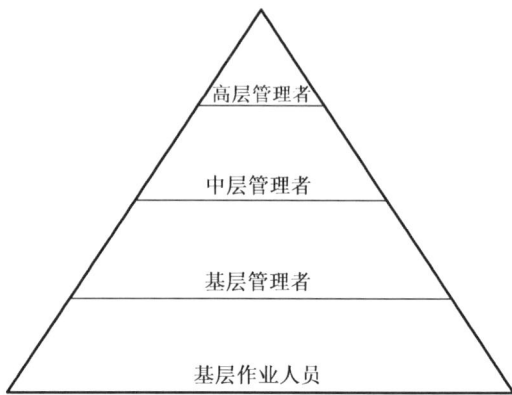

七、管理的基本原理

管理原理是指管理活动的根本依据和准则。管理的基本原理主要包括系统原理、人本原理、责任原理、效益原理和创新原理。

1. 系统原理

（1）概念。管理的系统原理是把系统的理论应用于管理问题的研究，把管理系统视作是一个复杂的社会系统。管理者必须以系统思想树立整体观念，以系统分析方法了解事物的组成要素、结构、联系、功能、历史及其发展，以达到优化管理的目的。

（2）系统原理在管理工作中的应用。

①整体性原理。整体性原理是指管理系统各要素之间的相互关系及要素与系统之间的

关系以整体为主进行协调。就其目标来讲,要实现局部目标与整体目标、短期目标和长远目标的一致,在不一致的情况下,要遵守局部服从全局、短期服从长远的原则。就其功能来讲,始终要把追求整体功能放在首位,牢记实现整体优化是管理系统最主要和最直接的目的。在贯彻整体性原理时,要坚持整分合原则,在实现管理工作整体优化时,要对系统的整体性,如整体目标、整体功能、整体任务等有深入了解,要在科学分解的基础上进行科学的组织综合。

②弹性原理。弹性原理是指在管理活动中,要保持一定弹性,实现有效的动态管理。这是因为,一是管理者面对的问题是极其复杂的。二是对管理的主要因素、各种关系、各个环节的认识有个过程和深度,既要抓住主要因素,又不能忽视次要因素,必须统筹兼顾,综合平衡,要做到这一点,必须留有一定余地。三是系统是不断发展变化的。要通过广泛科学的调查研究和预测,尽可能多地掌握现在和未来影响管理的因素,并且要为了适应各种情况和对可能产生的结果做到有备无患,必须制订多种备选方案,为管理的各项工作留有余地,根据系统及环境变化选择最优化的方案。

③层次性原理。层次性是系统等级的划分,是系统结构的普遍存在形式。任何一个系统,系统中的任何一部分都是有层次结构的,不同层次有不同的功能。不同等级层次的系统之间相互联系、相互制约,处在辩证统一体中。

④反馈原理。管理中的反馈是实现组织目标的重要形式,也是一种重要的控制机制,它是把管理过程中的结果信息反映给决策者和执行者,对系统起到控制作用,以达到既定目标的过程。

2. 责任原理

(1)概念。责任原理是指在管理活动中,为了实现管理的效率和效益,需要在合理分工的基础上,明确规定各部门和每个人必须完成的工作任务和必须承担的与此相应的责任,做到责、权、利相统一。

(2)责任原理在管理中的应用。

①在合理分工基础上明确职责。要通过组织设计,确定、规范每一个职位的责任以及它与其他职位职责之间的关系,一定要做到职责界限清楚,职责内容具体。

②要注意职责与权限、利益、能力的协调和统一。职责,指特定职位应当承担的责任,是组织赋予部门或个人的,是组织维持其正常秩序的一种约束力;权限,指完成工作任务而授予的权力;利益,是职位的收益;能力,承担职责者所具有的知识、才能和实践经验三者的总和。在管理过程中,职责与权限、利益、能力实现协调和统一。

有人把职责、权限、利益作为三角形的三个边,把能力作为等边三角形的高,这就是责权利三角定理,如图 1-2 所示。该图形象地说明职责、权限、利益、能力之间的关系。

③奖罚要分明、公正、及时。奖惩是对员工工作职责及其业绩客观与公正的评价。公正及时的奖罚,有助于提高人的积极性,挖掘每个人的潜能,从而提高管理绩效。奖惩要以科学准确的考核为前提,要有一个明确的、大家认可的业绩考核标准,要形成科学和规范的奖惩制度与方法。

3. 人本原理

管理的人本原理是以人为中心的管理思想和管理原则

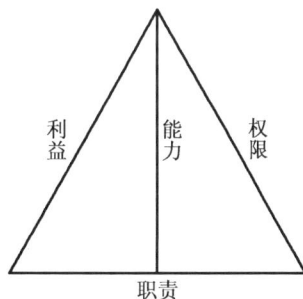

图 1-2 责权利三角定理

21世纪高职船舶系列教材

ERSHIYISHIJI GAOZHI CHUANBO XILIE JIAOCAI

的总称。人是管理活动的主体,是管理系统中最积极、最活跃、最有主观能动作用的因素,而且是第一要素。世界上一切科技的进步、物质财富的创造、社会生产力的发展、社会经济系统的运行,都离不开人的服务、劳动和管理。人在管理活动中始终是管理的核心和动力。管理主要是人的管理和对人的管理,即一切管理活动以调动人的积极性、做好人的工作为根本。

在管理工作中,要充分运用人本原理。要重视满足员工职业生涯发展的需要,为员工成长创造良好的环境和氛围,做到尊重人、依靠人、激励人、塑造人、凝聚人。并要让员工的真正参与管理,这是有效的人本管理的关键。人本管理的目的就是要激发人的工作热情和创造潜能,以为实现组织目标服务。

4. 效益原理

效益是指有效产出和其投入之间的比例关系。"效益"包括"效率"和"有用性"两方面,前者是"量"的概念,反映投入与产出的数量比;后者属于"质"的概念,反映产出的实际意义。效益表现为量与质的综合,它包括经济效益和社会效益两个方面。管理是讲求效率的,市场经济是讲求效益的经济。管理的主要目的是创造出最大的效益,追求效益是组织生存和发展的前提条件,提高管理效率和经济效益是管理者追求的永恒目标,也是管理的出发点和归宿点。管理者要把提高效率和效益摆在工作的首位。以最小的消耗和代价,获取最佳的经济和社会效益,是管理的效益原理的基本要求。

在管理工作中应用效益原理,具体要做到以下几个方面。

①树立正确的效益观,坚持经济效益和社会效益的统一,把长远和眼前、局部和全局的效益统一于经济和社会效益的协调统一之中。

②追求效益最优。效益最优是指在一定条件下,管理系统内部根据内外条件的作用,使系统的某个方面或整个系统最大限度地接近或达到某种客观标准,实现最优化。

③做好效益评价。效益评价关键在于确定公正、客观的评价标准和指标体系以及选择科学合理的评价方法。

5. 创新原理

创新原理是指组织要根据内外环境发展的态势,在有效继承的前提下对传统的管理进行改革、改造和发展,使管理过程得以提高和完善。

第二节　管理思想和管理理论

一、早期管理思想

1. 中国古代的管理思想

中国古代管理思想虽未形成独立的理论体系,也很少有专门的研究,但在很多事件和论著中体现了系统管理、信息管理、决策管理、用人管理的思想,显示了古代先贤的智慧,对现代管理科学的发展做出了不可估量的贡献。

如战国时期秦国的太守李冰父子主持与修建的都江堰水利工程,用现代系统论的眼光来看,也不愧为一项伟大的杰作。都江堰由"鱼嘴"岷江分洪工程、"飞沙堰"分洪排沙工程、"宝瓶口"引水工程等三大主体工程和120个附属渠堰工程巧妙地组合成一个有机整体,分导了汹涌澎湃的岷江,使它驯服而有节制地灌溉成都平原14个县500余万亩农田,还建立

了控制和维修制度,至今仍然发挥作用。无论其构思或实际设计、施工和管理的科学水平与创见,与现代系统方法的若干原则都不谋而合。这是中国古代劳动人民运用系统管理思想的典范。

再如万里长城的修筑,长城上的信息传播技术、方法都令人叹服,古人在长城上修筑的烽火台就起着"信息源"的作用,白日以烟、夜晚以火作为传递信息的媒介,在很短的时间之内就能把军情准确地传递至千里之外的指挥机关。

2. 外国早期的管理思想

外国早期的管理思想主要见于文明古国,如巴比伦、埃及、希腊、罗马。这些管理思想,无论从哪个层面来讲,对后人的影响都很大。

如古巴比伦在汉谟拉比统治时期,为了巩固其统治,汉谟拉比编制了《法典》,作为国民行为的准绳。法典共分为 3 部分,即引言、本文和结语。法典本文共 282 条,内容涉及财产、借贷、租赁、转让、抵押、遗产、奴隶等各个方面,对各种职业、各个层面上人员的责、权、利关系给予了明确的规定。在《汉谟拉比法典》中,有 20% 的法律条文与商业有关。从现代管理的角度来看这部法典的话,似乎还可以看到后人在管理中运用到的一些管理理念的雏形。

还有在古埃及,值得称道的管理实例就是其金字塔式的管理机构。在法老之下设置了各级官吏,最高为宰相,辅助法老处理全国政务,总管王室农庄、司法、国家档案,监督公共工程的兴建。宰相之下设有一批大臣,分别管理财政、水利建设以及各地方事务。上自宰相,下至书吏、监工各有专职,形成了以法老为最高统治者的金字塔式的管理机构。

二、古典管理理论

古典管理理论形成于 19 世纪末至 20 世纪初。经过产业革命后,先进资本主义国家的生产力发展已经到达一定的高度,科学技术也有了较大的发展,许多新发明开始出现,但是管理仍处于师傅带徒弟的阶段,经验和主观臆断盛行,缺乏科学的依据。随着资本主义自由竞争向垄断过渡,传统的经验管理越来越不适应管理实践的需要。为了适应生产力发展的需要,改善管理的粗放化和低水平,出现了以弗雷德里克·泰勒、亨利·法约尔、马克斯·韦伯为代表的古典管理理论。

1. 科学管理理论

美国的弗雷德里克·泰勒是最先突破传统经验管理格局的先锋人物,被称为"科学管理之父"。弗雷德里克·泰勒从技工开始,历任工长、总技师、总工程师。弗雷德里克·泰勒在工作中发现,许多工人往往会表现出故意偷懒,磨洋工,工作效率很低。他认为,"谋求提高生产率,生产出较多的产品,关键在于要确定一个工作日的合理工作量。"从这点出发,弗雷德里克·泰勒于 1880 年在米德维尔钢铁公司的一个车间进行了时间研究和金属切削的试验,通过上述一系列试验和长期的管理实践,系统地提出了科学管理思想。科学管理理论的主要内容如下。

①明确科学管理的中心问题是提高效率。要提高效率就要制定出有科学依据的工人的"合理的日工作量",就是所谓的工作定额原理。

②提出工人的能力与工作相适应。

③强调实行标准化。

④推行差别计件工资制。

⑤实行计划职能与执行职能相分离。由专门的计划部门来承担计划职能,由所有的工

人和部分工长来承担执行职能。

⑥运用例外原则。将管理工作分成两类,即一般事务管理和例外事务管理。企业的高级主管人员应把处理一般事务的权限下放给下级管理人员,自己只负责对下级管理人员的监督和处理例外事务。

2. 一般管理理论

当科学管理在美国盛行时,欧洲也有类似的管理理论出现,代表人物如法国的亨利·法约尔。弗雷德里克·泰勒的研究是从工场或车间的现场管理开始的,主要是技术方面和作业方面的管理。而亨利·法约尔则把整个企业组织作为研究对象,他研究的是整个企业的经营管理问题,他的理论被称为一般管理理论。一般管理理论的主要内容如下。

(1)从企业经营活动中提炼出了6项管理活动。亨利·法约尔认为每一种企业的“经营”共有6种活动,即技术活动、商业活动、财务活动、安全活动、会计活动和管理活动。

(2)明确了管理的五大基本职能。即计划、组织、指挥、协调和控制五大管理职能。

(3)归纳了管理的14项原则。即分工、权力与责任、纪律、统一指挥、统一领导、个人利益服从集体利益、报酬合理、集权与分权、等级链、秩序、公平、人员稳定、首创精神、团结精神。

亨利·法约尔的一般管理理论是西方古典管理思想的重要代表,后来成为管理过程学派的理论基础,也是以后各种管理理论和管理实践的重要依据。管理五大职能的分析为管理学科提供了一套科学的理论构架,对管理理论的发展和企业管理的历程均有着极为深刻的影响。因此,继弗雷德里克·泰勒的科学管理之后,一般管理也被誉为管理史上的“第二座丰碑”。

3. 行政组织理论

韦伯,德国社会学家,被称为“组织理论之父”,他与弗雷德里克·泰勒、亨利·法约尔并称是西方古典管理理论的3位先驱。马克斯·韦伯认为,“任何组织都必须以某种形式的权力作为基础,没有某种形式的权力,任何组织都不能达到自己的目标。”

他认为组织的合法权威有三种来源:习俗惯例,个人魅力,法规理性。法理权威的最适宜的组织形式是官僚制。官僚制组织的特征主要有:第一,组织内的每个成员都占有一个明确说明了具体职权的职位;第二,组织内成员享受的待遇相对固定,并取决于个人的能力和表现;第三,组织内层级节制,强调隶属关系;第四,实行管理权与所有权分离;第五,组织靠规章制度来加强管理;第六,组织管理以书面文件“档案”为基础。

三、行为管理理论

行为管理理论早期被称为人际关系学说,诞生于20世纪30年代,后来发展为行为科学,也称组织行为理论。行为管理理论对工人在生产中的行为以及这些行为产生的原因进行分析研究,目的是解释、预测、控制人的行为,使之有利于达成组织预期的目标,同时使个人获得成长和发展。其代表人物及其贡献主要有:

1. 德国人雨果·芒斯特伯格(Hugo Munsterberg,1863—1916年),是工业心理学的创始人之一,也是一位行为科学的先驱者。雨果·芒斯特伯格是首先指出心理学能运用于工业以提高生产率的心理学家,并最早确定了工业心理学的范围和方法。

雨果·芒斯特伯格指出,心理学家在工业中的作用应该是帮助发现最适合从事某项工作的工人;决定在什么样的心理状态下,每个人才能达到最高产量;在人的思想中形成有利

于提高管理效率的影响。

2. 美国人玛阿·帕克·福莱特(Mary Parker Folletto,1868—1933 年)。属于古典管理理论时代的人,后又开始研究行为管理理论的,在古典管理理论和行为科学理论之间架起了一座桥梁,是行为管理理论的又一代表人物。

玛阿·帕克·福莱特把企业视为社会性组织,在整个社会的大框架里进行研究,她强调人的心理和行为对生产的作用,强调正视矛盾和化解矛盾,强调寻求矛盾双方利益的平衡统一,并突出公平、公正的决定作用。另外,玛阿·帕克·福莱特还是管理培训和传授领导概念的早期倡议者。

3. 梅奥及霍桑实验

美国哈佛大学梅奥,不但是心理学家,而且也是管理学家,对行为科学进行专门、系统的研究,进而形成一种较为完整的全新的管理理论,他曾在芝加哥西方电气公司霍桑工厂进行了一系列试验,后来他对实验进行了总结,主要内容包括如下几点。

(1)工人是社会人,而非是经济人,金钱不是工人们工作的唯一积极性,社会和心理因素对工人工作的积极性也有一定的影响。

(2)企业中存在着非正式的组织,它以它独特的感情,规范和倾向,左右着成员们的行为,它与正式组织相互依存,对生产率有着重大的影响。

(3)提高生产率的主要途径是提高工人的满足度,除了社会因素,在人际关系上也要有一定的满足度。

四、现代管理理论

西方的管理理论,在古典管理理论和行为科学理论出现以后,特别是在第二次世界大战之后,又出现了许多新的理论和学说,形成了许多学派。这些理论和学派,在历史渊源和理论内容上互相影响和联系,形成了盘根错节、争相竞荣的局面,被人叫做"管理理论的丛林"。美国管理学家哈罗德·孔茨给管理理论中的各种学派分了类,共分十一个主要学派。

实际上,现代管理理论的学派远不止孔茨所提的十一个,可以称得上是不计其数。为了对现代管理理论学派的内容有进一步的了解,我们选择其中有代表性的学派加以介绍,以起到通过"个别"认识"一般"的作用。

1. 奥尔德弗的需要理论

这是美国行为科学家克莱顿·奥尔德弗提出来的一种理论。奥尔德弗认为,人的需要主要有生存、关系和发展三种,因而也称"生存、关系、发展"理论。

(1)生存。是人最基本的需要,指人在饮食、住房、衣服等方面的需要。这种需要一般只有通过金钱才能满足。只有这项最基本的需要得到满足以后,才能谈得上其他需要。

(2)关系。指与其他人(同级、上级或下级)和睦相处、建立友谊和有所归属的需要。

(3)发展。指个人在事业、能力等方面有所成就和发展。

奥尔德弗认为,这三种需要并不完全都是生来就有的,有的需要是通过后天学习才形成的,如关系需要和发展需要就是如此。而且,人的需要并不一定严格地按照由低到高的次序发展,可能越级出现。例如,人可以在关系方面的需要没有得到充分满足的情况下,产生发展方面的需要。而且,各个职工的需要各不相同,如有的职工是生存的需要占主导地位,有的职工是关系的需要占主导地位。管理人员应该了解每个职工的真实需要,然后采取适当措施来满足职工的不同需要,以便激励和控制职工的行为,实现组织和职工的目标。

2. 麦克利兰的成就需要理论

成就需要理论不讨论人的基本生理需要,主要研究在人的基本生理需要得到满足的前提条件下,人还有哪些需要。麦克利兰认为人的需要分为权力需要、情谊需要和成就需要。

麦克利兰指出,成就需要的高低对一个人、一个企业和一个国家的发展和成长,起着特别重要的作用。一个成就需要高的人往往朝气蓬勃,勤奋工作,成绩显著。一个企业中成就需要高的人愈多,发展就愈快,获利也愈多。一个国家中成就需要高的人愈多,就愈兴旺发达。

麦克利兰认为,成就需要高的人大都属于中产阶层。一般具有以下三种品质:

(1)他们希望有能够独立解决问题的工作环境,以便发挥这方面的能力;

(2)他们在从事某项挑战性的工作以前,往往会经过一番盘算,然后确定一个在他们看来不太难,经过努力能够达到的目标;

(3)他们往往需要有明确的、不间断的关于自己工作成绩的反馈,使他们知道自己的工作成就已得到组织和别人的承认。这样才能促使他们继续努力,不断地取得新的成就。

3. 凯利、韦纳的归因理论

凯利、韦纳部是美国的行为科学家和心理学家,他们提出的归因理论是一种行为改造型激励理论。归因理论中的归因指的是根据人的外部特征对他们内心状态所作的解释和推论。归因理论是说明和推论人们活动的因果关系的理论,可以用来理解、预测和控制人们所处的环境,以及随这种环境而出现的行为。因此,归因理论又可以叫做认识理论。即通过改变人的感觉和认识,并进行强化,最后达到改变人的行为的目的。不同的归因会直接影响人的工作态度和积极性,并因而对人的行为和工作绩效产生影响。

4. 弗鲁姆的期望机率模式理论

弗鲁姆的期望机率模式理论认为,一个人从事某项活动的动力(激励力)的大小,取决于"该项活动所产生成果吸引力的大小"和"该项成果实现机率的大小"这两项因素。"某项活动成果的吸引力"指一个人对某项活动可能产生的成果的评价。例如,一个职工从上级的暗示或自己的估计得出一个结论,如果自己在工作上做出优良成绩,有可能在职务上提升。"提升"就是其成果。至于这种成果吸引力的大小,则因各人的主观评价而不同。对一个很想提升的人来讲,其吸引力就大;对于一个是否提升抱无所谓态度的人来讲,其吸引力为零;对一个不愿提升的人来讲,其吸引力为负数。

"期望机率"指的是一个人对某项活动导致某一成果的可能性大小的判断。例如在工作中做出优异成绩这项活动将导致提升这一成果的可能性有多大,就是期望机率。它是各人的主观评价,同是否符合客观的实际情况无关。

5. 巴纳德的社会系统理论

社会系统理论认为组织是由人组成的协作的系统。系统有各种级别。一个企业内部的各个部门或子系统是较低级的系统,由许多系统组成的整个社会是高级的系统。各种类型的组织之间的差异在于其物质的和社会的环境、所包含成员的数量和种类、成员向组织提供贡献的基础。一个组织要能生存必须包含以下因素:(1)协作的意愿;(2)共同目标;(3)信息联系。

6. 西累的决策理论

决策理论认为,组织的全部管理活动都是集团活动,其中心过程就是决策。制订计划的过程是决策;在两个以上的备择计划中选择一个,也是决策。组织的设计、部门化方式的选择、决策权限的分配等,是组织中的决策问题;实际成绩同计划的比较、控制手段的选择等,

是控制中的决策问题。所以,决策贯穿于管理的各个方面和全部过程,管理就是决策。

第三节 造船工程管理概念及内容

一、造船工程管理基本概念

工程管理学科出现在 20 世纪 80 年代末期。当时,西方国家开始对工业工程教育进行评估,结论是传统的工业工程教育只注重车间层次的效率和数学方法的运用,其毕业生和工程师们缺乏必要的沟通技巧和管理知识。另外,根据美国工业工程学会的调查,发现 70%的工程师在 40 岁之后都要承担工程管理的工作。因此,产生了工程管理这个新的学科领域。

我国的造船工程管理的概念是从日本引进的,是在 1995 年正式提出来的。工程管理的日语含义是"进度"和"工序"的意思,从字面上也可以理解为工程计划管理,但日本造船企业推行工程管理不仅仅局限在计划管理方面,而是应用先进制造技术体系中的核心技术原理、理论,通过运用计划与控制技术、网络计划技术、柔性制造技术,以及相关专业管理技术进行壳舾涂一体化工程计划管理、造船精度管理、托盘管理、物流管理,以及定置管理等科学工程管理。

日本的造船模式被称为精益造船模式。"精益造船"望文生义就是追求精益求精,是企业保持持续改进、持续发展、持续提高的精神渊源。所谓"精益",就是要消除一切造船生产过程中的浪费。精益生产模式就是为了满足市场和客户要求而获取更高利润的方法和途径;它旨在通过全员的激励和努力,优化生产组织结构,去掉一切无效(不增值)的生产过程和环节,通过减少生产过程中的一切浪费来缩短生产周期,降低生产成本,保证生产质量,提高产品利润。

二、造船工程管理内容

造船工程管理可分为两大块,即计划编制和计划的执行。计划编制是指人们为达到一定的目的而设定的目标,以及为实现这个目标而采取的行动方案等一系列活动的总称,它包括计划指标及其实现的措施。计划是工程管理的核心,计划管理是工程管理的首要职能。计划管理就是用计划来组织和协调各项生产、技术活动,从而保证企业(或部门)目标的实现。也就是根据造船企业的特点和市场的需要,通过计划工作指导企业在一定时期内的生产活动,使造船工程的全部活动都纳入计划的轨道,以便有效地利用人力、物力、财力和时间,获得最大的经济效益,加快企业自身的建设和发展。造船企业的计划管理是一项具有综合性质的管理工作。

切实可行的计划可以减少实施过程中的修改,减少现场彼此间的摩擦、争论,形成相互信任的风气,从而轻松、正确、快速、安全、低成本地实现目标。

计划的执行是指按编制的计划进行造船的过程。在我国传统的造船模式管理中,往往出现计划和实施的脱节,不能保证计划的真正实现,从而出现生产的混乱,使生产效率低下,而现代造船模式强调严格按计划进行造船生产。而要保证计划的实施,第一是要制订切实可行的计划;第二就是要用好管理的控制职能,控制就是采取一些措施使得事件的执行按预定的计划进行。控制包括进度、质量、成本和安全管理四个方面。

21世纪高职船舶系列教材
ERSHIYISHIJI GAOZHI CHUANBO XILIE JIAOCAI

在供过于求、激烈竞争的船舶市场,质量取胜是不可抗拒的历史潮流。船东购买船舶的目的是为了赢利,而赢利的基本条件中首先需要的是船舶的质量,包括航行性能、货舱容量、安全保障的程度等。船舶的建造质量好,使用寿命长,经久耐用,船东就可以将货币转移使用,扩大再生产赚取更多的钱,船东就会获得更多的利润,而船厂在船东心目中乃至整个社会占有更高的信誉,订单也会越来越多。

质量管理是指为保证和提高产品质量而进行的一系列管理工作。质量是船舶工程的生命,也是造船企业的生命。质量管理是造船企业管理的核心,尤其是面对市场竞争异常激烈的今天更为突出。由于船舶工程牵涉的专业广,建造周期长,投产后在水上运动,所以船舶工程的质量管理具有特别重要的意义。

成本管理同样是造船生产中不可或缺的。任何一个企业都是把赢利放在首位的,造船的价格是跟市场走的,不是说成本高了,价格就高。如果有两个厂造同样的船,船的销售价理论上应该是一样的,那么谁的成本低,获利就多。而如果一个船厂,管理混乱,效率低下,成本如果超出销售价,势必会引起亏本。所以,如何控制成本,增加赢利,是每个造船企业所追求的。

而安全管理则是保证进度、质量、降低造价的前提条件。船厂是一个高危行业,作业条件比较恶劣,高空作业多,动火作业及危险品多,大型制造物品吊装搬运多,作业环境复杂,在这样危险复杂的生产环境中,一旦有设备出现故障、人员出现疏忽,极易引起重大安全事故。而一旦发生事故,就会影响造船周期、质量,增加造船成本,因而,如何做好安全生产管理工作,防止安全事故的发生,对船厂来说是尤其重要的。

另外,为更好地做好管理工作,保证计划的顺畅进行,作为一名管理者,还要掌握管理技巧,懂得怎样与领导、同事、下属进行沟通,以保证所下的指令能被对方准确地接受和认真地执行,并要掌握激励的方法,调动下属的积极性,发挥他们的潜能,更好地保质保量、按计划完成生产任务。

第二章 计 划 管 理

船舶制造是一项复杂的系统工程。它具有单件、小批量生产、周期紧、多工种、时间有序、空间分道、产品设计及工程设计占有重要的地位等特点。特别是船东订购的多样性、多变性以及产品的复杂性,零部件的多样性及工艺的多样性,决定了其生产组织与计划的复杂性。传统的造船工程计划管理是依靠造船工程师凭经验编制粗线条的计划,各工种和各类生产活动做到大致协调,在编制计划过程中没有考虑各工作的资源等问题。在计划实施过程中,出现大、中、小计划脱节,凭借监造师的经验、资格和能力进行调度和协调,结果造成船厂内各生产车间、部门、工种、船只之间在时间、空间上的矛盾,无法从整体利益角度进行协调,造成计划失控,在多个品种、多个船台的情况下更为严重。因此,在企业经营规模不断扩大及市场竞争日趋激烈的环境下,合理制定造船计划,用计划管理取代现场调度管理,变得尤为重要。

第一节 计划管理的特点与阶段

计划是保证工程协调实施的依据,也是现代造船模式作为生产管理的重要的一环,而且还是企业经营、生产各项计划的先导。计划管理就是要使造船简单快捷,简化生产,提高生产效率。然而生产效率完全取决于材料、设备、劳动力、场地、资金和信息等资源的调度,如何配置和利用好这些资源,是保证高效生产的关键。

一、工程计划管理的特点

1. 工程负荷的测算与计划的紧密结合,把工程负荷的测算作为平衡计划的依据。用大量的数据来编制计划、平衡计划;建立大量生产计划标准,并在实际工作中使用这些标准,如建立母型船参考标准、负荷计划标准、"S"曲线标准、内场切割计划标准、分段制造计划标准、托盘制作计划标准等等,使计划编制更科学合理。

2. 建造工艺与计划的有机结合,并把建造工艺作为一种计划,进行管理。在安排作业计划时,考虑建造工艺的合理性。对分段的装配,应尽可能采用零部件→分段→总段的装配方法,尽可能扩大分段舾装和单元舾装的范围,提高分段制造的完整性。合理的建造工艺能提高生产效率,优化生产计划。

3. 突出计划的综合性与协调性。工程计划是多维的综合协调的计划,计划既要对资源和作业量、进度和任务等在各个阶段进行平衡,还要对单船和多船进行平衡,而且近、中、长期计划之间也要进行平衡。计划应从全厂、全船、全局出发编制计划,综合协调各部门、各专业、各工种之间的关系,实现现场作业的空间分道、时间有序、逐级制造、均衡、连续的总装造船。

4. 计划有完整的管理工作体系,计划管理分为五个阶段,预测计划、综合计划、日程计划、计划控制和工作总结,并形成一个完整的管理循环。

船舶工程专业

CHUANBO GONGCHENG ZHUANYE

二、工程计划管理的五个阶段

造船计划管理的五个阶段,即预测计划、综合计划、日程计划、计划控制和计划总结(见图2-1)。

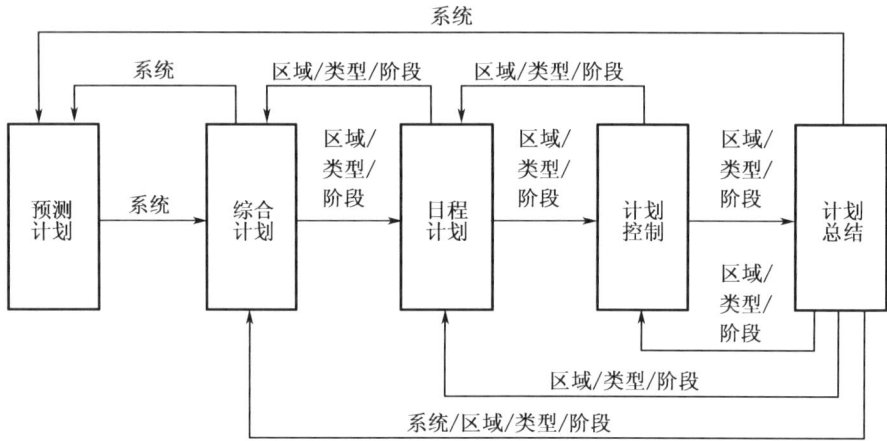

图2-1 造船计划管理

预测计划就是船厂的经营计划,也被称为线表阶段计划,是根据董事会下达的经营指标,制定年度和中长期的经营目标,如年度预算的资产负债表、损益表、现金流量表和造船线表,以及二三年滚动经营计划等。中长期经营计划有三年滚动计划和五年发展计划,这种经营计划一般都是根据船厂的发展目标,结合人才、设施和资金等资源条件,通过市场分析,确定的造船产量和品种的发展计划。中长期经营计划应该包括市场预测计划、船型开发计划、作业负荷计划、员工招聘和培训计划,以及设备改造计划等等。

综合计划也被称为综合日程阶段计划,包括设计计划、建造程序计划、负荷计划、物资采购计划、劳动力计划、设备使用计划、场地安排计划、精度管理计划、质量检验计划、资金使用计划等等。造船的综合计划一般有两种,一种总体计划,一种是单船计划。总体计划是所有单船计划的总括,它主要考虑各种资源的平衡,场地、设备、劳动力和资金等等。单船计划主要考虑按合同要求明确该船的建造方针、工艺方法、施工要领和大节点计划。总体计划与单船计划是相辅相成的。只有通过总体计划对所有可以利用的资源进行综合平衡后,单船计划才能详细具体的得到落实。因此,在综合计划阶段必须考虑资源分配和工艺流程。

日程计划是指船舶制造的月计划和周计划,按天计算每一项工作的具体时间要求,什么时候开始,什么时候完成。包括作业进度计划、采购进度计划、劳动力进度计划,它们之间要做到相互的平衡和统一。日程计划还包括资金使用进度计划、设备改造和维修进度计划、设计出图进度计划、质量检验进度计划和员工培训进度计划等等。

计划控制就是检验实际工作进度是否与计划一致,做到有反馈的控制。根据进度信息,分析计划执行情况和及时采取措施保证计划的实现,是计划控制的根本任务。在计划的执行过程中,各部门之间的信息沟通是非常重要的。现代造船模式下的计划控制,设计与制造部门的信息沟通尤其重要。船厂必须在设计和制造部门之间建立规范的信息沟通网络,及时协调解决各种设计和生产过程中的问题,确保设计计划和生产作业计划的协调一致。在

设计部门,船体设计需要与舾装设计经常沟通协调,在船体设计过程中准确反映各种舾装设计的需求,并把这种协调结果通知生产部门,以便在生产过程中能够正确地执行建造方针。如果在生产执行过程中出现了与设计不一致的情况,应该及时反馈到设计部门,以便后续生产中避免类似情况发生。以上所有的工作,必须事先有书面计划,并通过检查计划的执行情况,跟踪和监督全部的设计和生产过程。生产计划控制还要负责监督生产成本和生产进度的执行情况,主要通过检查工时计划的执行情况来完成成本和进度的监督和控制。

计划总结就是要不断完善船厂的计划管理体系,使计划更加符合船厂的实际工作水平。并根据实践经验和教训,不断完善和提高船厂的造船水平和效率。特别是对那些产生生产资源浪费的原因要进行分析,寻求在工时、场地、库存、设备利用、生产效率等各个方面的改善,不断提高造船的水平。

第二节　工程计划的类型

现代造船工程管理之中,计划是最重要的一环,是一切工作的基础,计划确定以后,船厂各部门则应以计划为中心开展工作,确保工程进度按规定的计划实施。工程管理中所包含的计划很多,但对于船厂制造(生产)部门来说,主要考虑面向生产的工程计划,一般可分为建造程序计划、负荷计划、日程计划三种类型。

一、建造程序计划(顺序计划)

建造程序计划主要包括建造法、建造方针、施工要领,它是以追求经济性为前提,确定计划顺序和建造原则。建造程序计划制定并不是一项孤立的工作,一方面它要依据初步设计、详细设计阶段提供的船舶主尺度、主要结构形式、主要设备、总体布局等信息为基础而制定;另一方面它又会根据编制过程中遇到的问题向设计部门就初步设计和详细设计的工艺性、施工经济性和布局合理性等方面提出各项建议。此外,建造法、建造方针、施工要领还是生产设计工作的设计原则和依据,是具体设计工作的定向指令。

建造程序计划充分体现建造工艺与计划管理相结合的管理方式,而这种管理方式已在现代造船工程管理系统中形成工作体系。这种工作体系是以建造程序计划为中心,在管理体制上设立造船工程管理部门,从产品签订合同开始就从总体上进行建造工程的统筹;在生产技术上对船体分段的划分、总段建造和高效焊接技术的应用和舾装工程中对预舾装、托盘管理技术的应用明确作出计划,以指导船舶各阶段的设计,从而使建造工艺和计划工作在紧密协同的前提下,使各个生产作业部门严格按工艺顺序和计划进行均衡生产。

二、负荷计划

依据计划规定需要完成的生产任务作业量,制定的劳动力、设备、场地等生产资源配置计划称为负荷计划。也就是说,负荷计划是船厂承受生产负荷程度的计划,也是船厂具有的生产能力和预想的工作量之间的对比,通过检验调整成为切实可行的建造计划。

1. 负荷计划的分类

根据负荷的内容一般包括劳动力负荷计划、设备负荷计划、场地负荷计划等。根据生产的综合和阶段特征一般包括工厂生产负荷计划、各阶段负荷计划和分阶段负荷计划所组成。

工厂生产负荷计划应在订货计划阶段时编制,在研究建造程序计划中的建造法时就要

进行。各阶段负荷计划应在签订合同后,在建造方针的编制阶段进行。分阶段负荷计划应在进入施工要领编制阶段时,编制分段制造平台计划、船体总装能力表,同时编制各工艺阶段的工时和物量负荷计划。

2. 负荷计划原理

生产能力、生产资源、生产负荷之间存在如下逻辑关系

$$生产能力 = 生产资源/生产负荷$$

3. 负荷计划管理要点

(1)负荷计划和建造程序计划、作业日程计划是不可分割的整体,必须实施三位一体化管理。

(2)对生产资源、生产负荷、生产能力实施量化管理。

(3)分析生产资源与生产负荷的差异程度——不平衡程度。

(4)依据负荷计划原理协调生产资源与生产负荷之间的匹配关系,实现动态平衡。

(5)通过调整生产能率压缩无效作业时间。

(6)运用工程分解原理对工时/物量实施有序分解——按区域/阶段/类型分解——按空间与时间分解。

三、日程计划

日程计划是船厂对正在建造的船舶进行日程管理和控制的实施计划。其管理方式是在建造程序计划确定后,先制订工厂建造计划线表,经负荷计划计算(包括工时能力、物量、工厂设备和机械生产能力的检查),才可正式确定日程计划。因此,日程计划由工厂建造计划线表、综合日程表、主日程表组成。

工厂建造计划线表是在订货阶段,经建造法验证工厂负荷后所确定的日程总计划表。线表仅反映加工开始、分段制造、上船台、下水和交船等主要节点,作为各阶段线表编制的依据。

综合日程表是在船舶建造方针和上述线表确定的基础上,经各建造工艺阶段的负荷测算,所编制的产品建造总计划表,内容包括各设计阶段的出图、材料与设备的订货与纳期计划;从上船台到交船的主要节点计划;各作业区域的作业内容的计划日程安排等。综合日程表的编制应充分体现壳、舾、涂一体化和设计、生产、管理一体化的生产管理原则,同时又必须贯彻建造方针对计划管理上的要求,使之在计划日程上充分体现。

主日程表是在进入综合计划阶段编制施工要领时,在各个分段工时和物量负荷已经平衡的情况下所编制的全船详细日程计划表,用以作为各生产部门进行生产活动的直接依据。主要内容有船体大合拢主日程表、船体建造主日程表、舾装综合主日程表等。工程计划类型的具体内容见表2-1。

下述工程计划的三种类型各自成体系,各具完整性,同时又是紧密结合的整体,需要同时协调编制才能确立指导工程的有效性,它们是在建造船舶进行生产技术准备的主导,均属现代造船生产管理在生产技术准备阶段的主要工作内容。

表 2-1 造船工程计划类型内容表

	计划项目	计划内容
程序计划	建造法	粗略的分段划分(主要是平行中体部分),建造法(层式、岛式、总段等),船台布置或船坞布置、施工原则、建造大节点确定、新技术的应用等
	建造方针	合同概要、主要技术参数和物量(船的主尺度和结构设计参数,主要物量如分段的总数量,船台吊装数,船体结构材料质量,船台安装接缝总长度,管子总根数,电缆总长度,涂装总面积和特殊工程量等)、基本方针(建造法的选择,分段划分的原则,新工艺新技术项目的应用和实施范围,质量管理,成本管理等)、部门方针(生产管理、设计、物资生产车间、安全、质量各部门的方针)
	施工要领	船体施工要领,舾装施工要领和专题施工要领(例如涂装施工要领等)
负荷计划	工厂生产负荷	工厂工时、物量负荷
	各阶段负荷	各车间在各个大的阶段的工时、物量负荷:船体钢料加工能力、分段装配和舾装总装能力等
	各分阶段负荷	船体、舾装、涂装各分阶段的曲面分段、平面分段等各工种工时、物量负荷计划
日程计划	工厂建造线表	开工、分段制造、上船台、下水、交船等主要大节点日程确定
	综合日程表	初步设计、详细设计、生产设计工作图和管理图的出图日程;船体分段分组的加工、制造、预舾装、涂装、总段舾装和上船台的日程;舾装管子、附件的加工制造、单元制造、设备调试等日程周期
	主日程表	船体大合拢主日程表、船体建造主日程表、舾装综合主日程表等

第三节 计划编制的准备

通过工程的信息化管理,制定精确的生产计划,优化材料、设备、场地、劳动力资源配置,加快现场沟通速度,是提升造船企业综合竞争力、赢得竞争优势的重要举措,是提高造船生产效率的倍增器。

物量/工时关系的建立、标准 S 曲线的绘制、计划工作标准的制定、风险分析和管理是计划编制的四个关键技术。

因此,在计划编制时必须在做好了信息准备和技术准备的基础上,充分利用信息化管理的优势,建立标准物量/工时关系数据库,将工作标准注入应用程序的开发,实现自动化绘制标准 S 曲线和风险分析,提高造船工程计划编制效率。

一、计划编制的信息准备

计划的编制需要大量的信息,从信息化研究的角度出发,将计划管理看成是一个信息搜集、整理加工、传递应用的过程。计划管理中各项计划制订所需信息来源主要有合同信息、产品建造财务信息、承接船舶产品信息、设计信息、工厂基础数据等,如图 2-2 所示。

(1)合同信息。经营部门提供的合同信息需要包括工程内容、船东背景、工厂经营方针等。工程内容主要包括承接订单船舶的主要建造内容和建造要求,是企业各项生产活动最

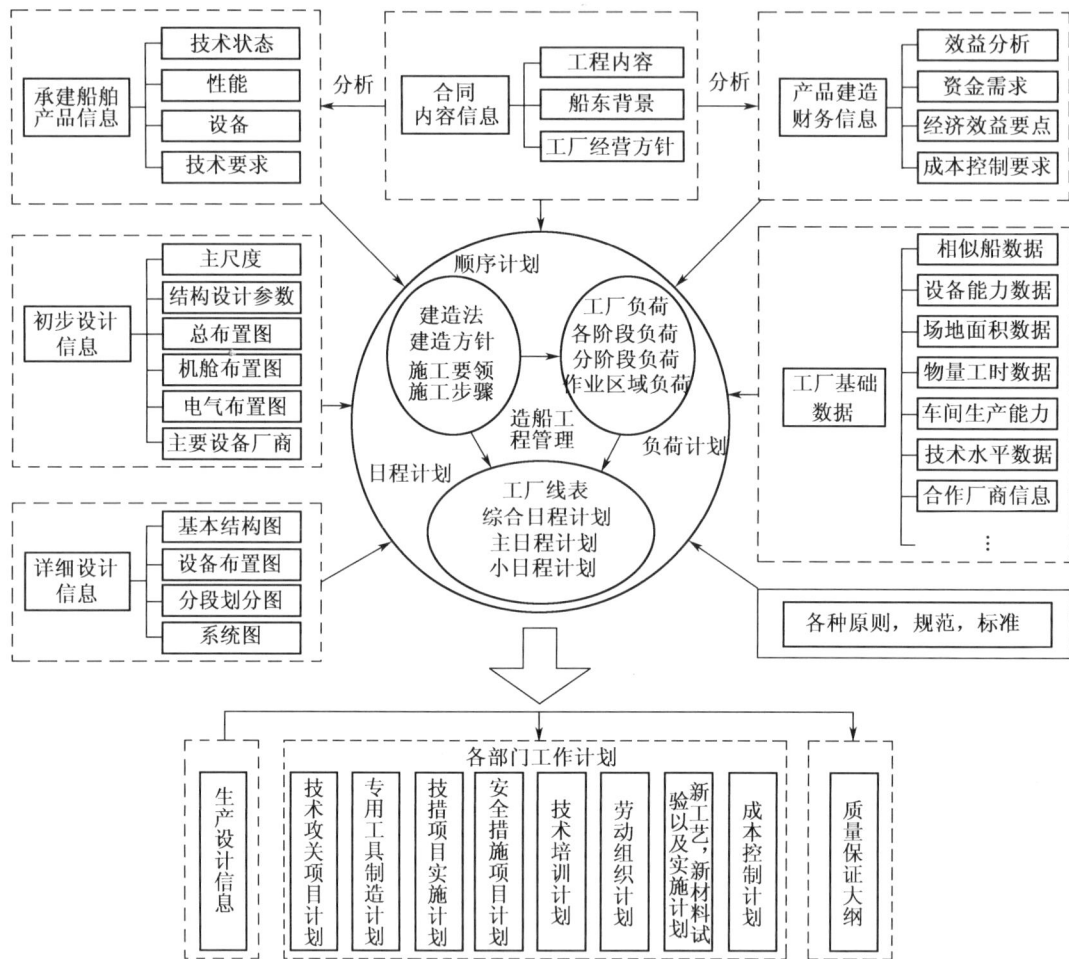

图 2-2　造船工程管理早期策划依据信息分析图

终工作目标。船东背景涉及船东国籍、船东喜好等信息,常常是企业制定质量管理要求、成本控制计划的一项重要依据。

(2)产品建造财务信息。生产部门在编制建造方针、制订综合日程表时应充分考虑该产品的成本控制和资金需求平衡要求,以企业经济效益最大化为目标。

(3)承接船舶产品信息。无论是设计还是建造程序计划的编制,都必须在充分掌握承接船舶产品信息的情况下进行。船舶产品信息包括产品技术状态、性能、设备、技术要求等内容,其中特殊性能、特殊技术、特殊工艺和特殊标准等的谈判情况和决定内容各工作部门应重点掌握。

(4)设计信息。设计信息(包括初步设计信息、详细设计信息、生产设计信息)是造船工程计划编制的主要信息来源。如建造方针编制过程中船体质量、涂装面积计算需要初步设计部门提供船舶产品主尺度、结构设计参数等信息,而分段划分除需要主尺度、结构设计参数等信息外,还需要初步设计部门提供总布置图、机舱布置图等资料。

(5)各种原则、规范、标准。建造程序计划、作业日程计划的编制,生产能力的综合平衡都需要遵循一定的原则、规范、标准来进行。例如,分段划分要遵循吊车最大起重、原材料最

佳利用、组织均衡生产、船体结构强度合理性等原则,建造方针可以按相关标准进行编制等。这些原则、规范、标准是工程管理各项工作能正确、合理进行的有力保障,是令其最终工作成果能够符合实际需要的重要保证。

(6)工厂基础数据。无论是建造法的确定还是作业日程计划的编制,又或是生产能力的负荷平衡,都离不开对工厂基础数据的分析。工厂基础数据内容主要涉及资源现状、技术水平、历史经验总结数据等方面,这些数据是保证各项工作计划、措施的制定不脱离工厂实际情况的重要基础。

二、计划编制的技术准备

(1)物量/工时关系的建立

造船工程管理是以计划管理为核心,计划的安排必须建立在对各部门、各车间、各作业场地生产能力已进行平衡调节的基础上进行。而生产部门在对各部门、车间、作业场地进行生产能力平衡时有必要首先了解该部门、该车间的预计工作量和实际工作能力。在企业的工程管理实践中,工作量的测算是一项比较复杂且繁琐的工程,需要制定出必要的工作标准,并采用原单位的方法进行计量。船舶产品建造工作量、工作能力测算原单位数据量主要有型材以每吨所需要工时计算(h/t);平台周转率以每100平方米每天完成的吨位计算(t/100(m²·d));电焊以每米所需工时计算(h/m)、管子加工、安装以每根所需工时计算(h/根);涂装以每小时完成的面积计算(m²/h)。这些原单位基础数据库的建立,对于计划的安排是十分有利的,大大增加了计划的科学性和执行计划的严肃性。

(2)标准S曲线的绘制和确定

计划的编制过程中,部门、区域、阶段等的负荷额度是依据工厂以往建造过的典型船种和船型的工时实际统计数据绘制的工程管理标准S曲线来进行计算的。工程管理标准S曲线是以横坐标为时间(可采用自然月或管理月),以纵坐标为工时,以研究对象的开工为起点,完工为终点,按每周投入的人工时数累积所描绘成的近似于字母S形状的曲线,如图2-3所示。通过对同类型船舶实

图2-3 工程管理标准S曲线

际发生的工时S曲线进行统计分析,就可以确定船厂的同类型船舶标准建造周期、标准建造总工时以及生产计划线表中各大节点所占的标准工时百分比。据此,就可以绘制同类型船舶的"预计工时S曲线",即"计划工时S曲线",并作为劳动力测算、平衡、分析的主要依据。

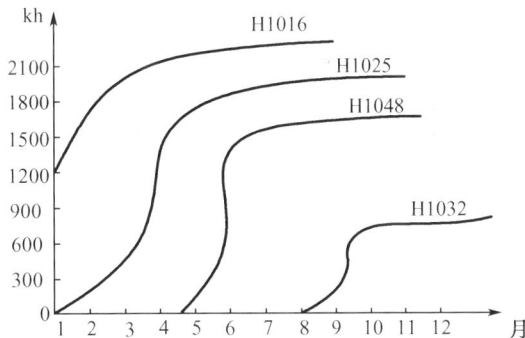

绘制步骤如下所示:

①估算出开工、上船台、下水至交船各阶段负荷工时的百分比;

②以所选相似船的"S"曲线,按月分配工作量;

③纵坐标为工时,横坐标为时间月;

④以每月工作量的累积数在坐标中标点,然后绘制出"S"曲线。

标准S曲线的绘制需要以工厂收集的历史船建造工时数据为依据。通过造船业多年来的实践表明以小组、工段、车间为单位,对参与每艘船或产品施工的生产工人数进行每日统

计,以日报工时(内含加班工时)来绘制标准 S 曲线,作为分析、考核、控制的依据是最为实际和可行的。因此,现代造船工程管理下生产信息的反馈应当力求实施"日报制"。

(3)计划工作标准的制定

现代造船工程计划的编制应当摆脱传统造船计划凭经验的旧习。因此,除了绘制"S"曲线外,在工程计划管理的过程中,还应当着力把工程管理人员的好经验、好方法给予整理升华,形成管理的标准、计划的标准,例如同类型船舶的总进度计划(综合日程表)标准,分段加工、部装、分段制造标准日程,管系加工、制造、预装标准日程,大型铸锻件、浇铸件浇铸、加工标准日程,原材料、设备订货标准日程等等。这样可以使造船工程管理向标准化,记号化和单纯化发展。

(4)风险分析和管理

摒弃企业过去"大而全"或"小而全"的生产方式,走向社会化大协作、大生产是企业改革的一项重要任务。一切活动均存在风险,尤其对于船舶建造这样复杂的项目。船舶建造不仅企业内部流程极其复杂,而且还需要与企业外的各种供应商进行信息交换和物料流通,在此过程中必然受到各种复杂的社会和自然因素影响,由于对这些因素认识不足或没有足够的能力加以控制,在很多情况下,造船活动并不能达到船厂预期的目的,有可能遭受各种各样的损失,如成本不能得到有效的控制,延误交船期等。因此在工程计划的编制过程中有必要对影响造船活动的各种因素进行识别和控制,在各种工期的安排过程中应考虑到因各种因素制约引起的返工、怠工等日程,这样保证编制的计划有足够的柔性以适应因突发事件而导致的计划的调整,尽量避免和减少损失。

第四节　工程计划的编制

造船工程计划的编制是指船舶产品的施工生产活动以及为施工生产服务的一切其他部门的准备工作活动都必须进行预先的统筹安排,而这些统筹安排活动是通过一系列的计划来控制实现的。工程计划的编制最主要遵循的原则是确定做什么(What)、为什么做(Why)、什么时候做(When)、什么地方做(Where)、谁来做(Who)、怎么做(How)的 5W1H 原则。

一、编制程序

工厂一旦造船合同签订,就需要把新签的船放在工厂整个船舶建造大计划(在制船、将开工船、即将承接的另一种新船)中进行整船的预安排——它的结果就是建造方针书,并完成工厂建造计划线表编制。按照预安排的计划进度进行壳、舾、涂一体化的建造、设计、订货等生产准备大计划的编制工作即综合日程表,并在此基础上编制船体大合拢主日程表(船体搭载网络图),再根据船体大合拢计划,按中间产品为导向组织生产的原则倒排船体建造的主日程计划,如分段制造主日程表、平台符合计划表、船体加工日程表、船体舾装主日程表等。顺着船舶下水日程向后编制好按区域的码头舾装、试验计划及交船计划。以上讲的计划都是以"日"为单元的日程计划,这些计划一般都在船舶正式开工时编制完毕。所以说现代工程计划编制也可以讲是设计,即生产的设计。这样的生产的设计就实现了指导船舶产品的生产的目的。

图 2-4 表示的计划的编制程序是壳、舾、涂一体化计划程序。它以建造方针为依据,把设计工作计划、品材订货计划、舾装计划、涂装计划等合理组合,明确了互相依赖关系,明确

了先后程序,也明确了互相协调关系。图中表示的程序也是计划管理的主业务流程图,它描述了造船全过程中的各种计划,各部门计划之间的联系以及计划层次。计划层次反映计划编制从粗到细,由大到小逐层深化的过程。

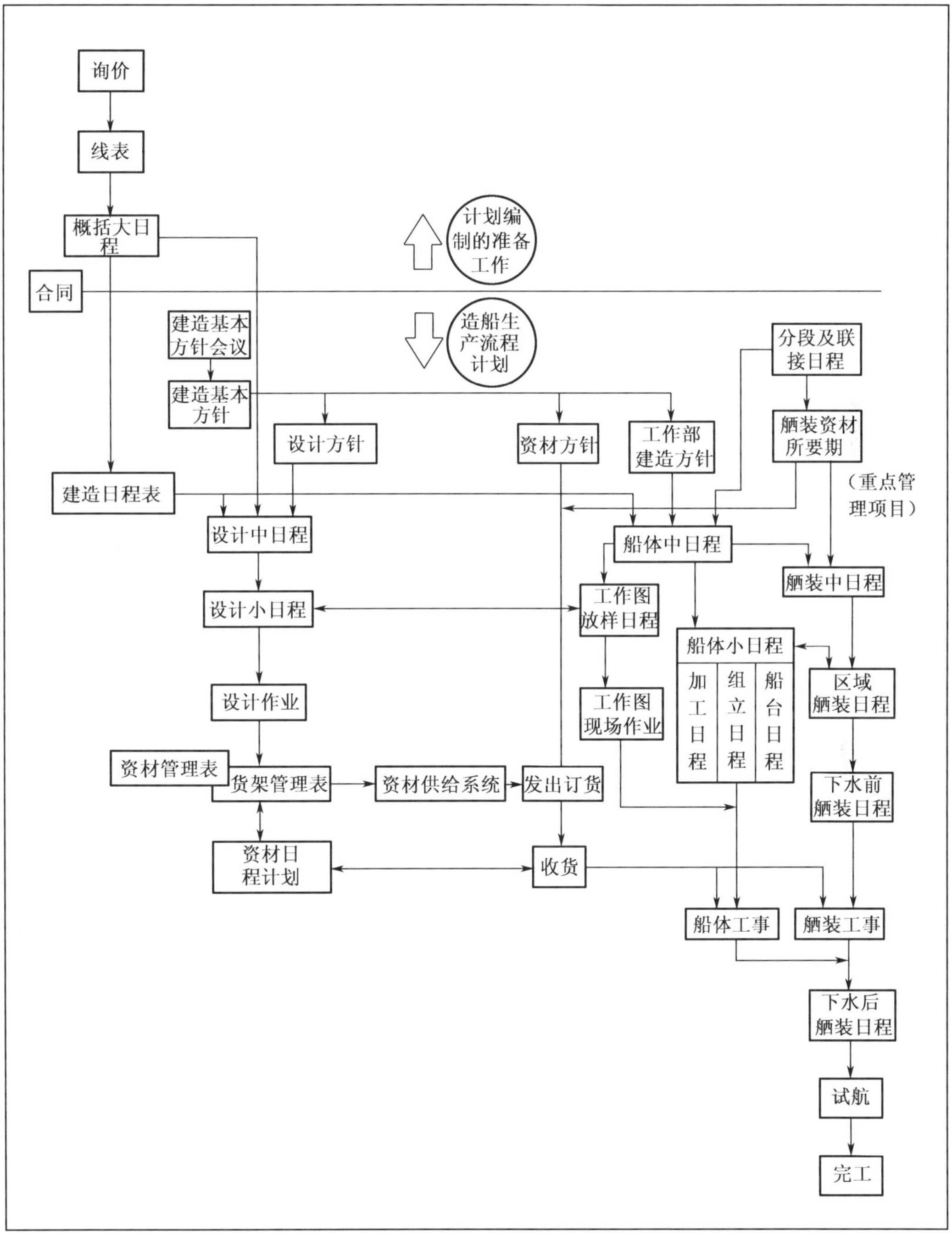

图 2-4 造船工程计划编制程序

21世纪高职船舶系列教材

ERSHIYISHIJI GAOZHI CHUANBO XILIE JIAOCAI

二、工厂建造计划线表的编制

工厂建造计划线表(见附表一)是在合同谈判的同时生成,在造船合同生效时确定。工厂建造计划线表是一个三年或五年滚动计划,它也是船厂的一个总体计划,是所有单船计划的总括,主要考虑各种资源的平衡,设备、场地、资金、劳动力等。工厂建造计划线表的确定,标志着整个新的工程计划开始启动。

工厂建造计划线表编制的关键是建造总周期确定。而建造总周期的确定则根据标准周期以及船厂建造的实际情况。总周期确定又以船台(船坞)建造计划为中心向两头伸展,从而确定开工节点和完工节点。所以,确定船台(船坞)计划十分关键,船台(船坞)周期必须根据船型、大小、难度即可建造性,进行反复论证,一个大意或失误往往影响几年生产。

工厂建造计划线表实际是船厂的长期计划,为编制好线表计划,使线表计划更能切合工厂的实际能力,所以在编制线表计划的同时绘制工时负荷计划曲线,即标准"S"曲线。绘制前提是线表计划确定的新船排位,新船估算的总工时与历史资料标准工时比较,选择一个与新船相似的标准"S"曲线。

绘制标准"S"曲线目的即用船厂可用工时(能力工时)来衡量计划的可行性,协调各作业区域和各分段总工时的分配。

1. 工作量负荷与能力工时比较。按月查找差额,选择补救措施。

2. 补救措施主要有将负荷高峰一部分提前、延长工作时间、临时征用外包工、部分工程外扩、劳动力重新分配等措施。

总之,在确定船厂长期计划时或者新船承接时,必须重新编制线表计划,同时以标准"S"曲线的绘制来平衡线表计划,两者同时作业,虽然形式不一样,却是一个整体。线表计划和负荷计划的关系,犹如前者是施工图后者是计算书。在绘制标准"S"曲线计划时,也可以分成船体建造负荷计划曲线和舾装负荷计划曲线两组,这样做更细致。具体的标准"S"曲线图在前一节就讲过,此处不再重复。

三、建造综合日程表

建造综合日程表(见附表二)是在船舶建造方针和工厂建造计划线表确定的基础上,根据编制好的三年滚动计划,经各建造工艺阶段的负荷测算,根据壳、舾、涂一体化,中间产品为导向的思想来编制的产品建造总计划表,是工厂设计、供应、生产等各部门开展工作的总纲。

综合日程表是生产计划的组织文件。它不同于传统的总进度表,从综合日程表的形式和展开的内容可清楚显示设计、生产、管理一体化,船体、舾装、涂装一体化的管理思想;同时体现了准备阶段和建造阶段各种协调关系以及区域、类型、阶段的工艺特征。综合日程表还必须分解到各个部门,因此综合日程表还必须明确每一个部门需要配合的工作,如设计供图计划、材料采购计划等等。

综合日程表的编制是项十分细致的工作,必须在消化新船有限的资料基础上,依靠过去积累的经验数据和成功的建造过程,进行一次再创造性作业。是按照精益造船计划拉动的原理,先由基层作业单位按照历史数据编制船舶的作业计划,然后经过生产主管部门的综合平衡,确定最后的实施计划。整个计划管理过程是,编制(从下而上)——汇总(生产主管部门)——分解(从上而下)——控制(跟踪监督)。

（1）目的

明确造船各相关部门,特别是管理部门工作内容和相互衔接协调关系及目标。为工厂领导和综合协调部门提供检查、监督和协调的组织文件。确定船舶主要节点计划、作业负荷计划、资材纳期计划、工时分配计划。

（2）依据

建造合同、建造规格书、概略建造方针、线表排位、历史资料等。

（3）时间

一般编制综合日程表的时间为四周。在合同签订后的两个月内编制完成。经领导批准后颁发。

（4）平衡

在编制过程中要组织设计、物供、计划和工程管理部门讨论协调,特别是新品种的船舶更应针对特殊要点和难点展开讨论平衡,分歧点最后由计划综合管理部门调整确定,经有关部门领导和主管会签,厂领导批准立案。

四、船体大合拢主日程表

船体大合拢主日程表也叫做船体搭载网络图(见附表三)。它是船体建造日程中最重要的一个计划,也是整个造船工程计划管理中最核心的计划,还是倒排造船计划的依据,即分段制造计划、分段预舾装计划、托盘制造计划、涂装计划、船体加工计划编制的依据。

船体大合拢主日程表以工厂建造计划线表为前提,根据分段划分以及分段搭载周期来绘制。

船体大合拢主日程表一般以网络计划的形式表示最为理想。它把大合拢的终点、始点、路线、程序、时差、主线表示得非常直观。

在制订搭载网络图时,通常以定位分段为始点,向上前方展示的是甲板分段和双层底分段以及舷侧分段的合拢,向下前方展示的是机舱区域的合拢。最后吊装的是上建分段的合拢。

在设绘船体大合拢主日程表时,网络的优化是关键。优化的目的是确保船台(船坞)周期的基础上,提前轴系照光的时间,将舾装工作前移、缩短码头周期,更为重要的是均衡分段制造计划,使分段制造计划、预舾装和涂装不要过度的集中和没有富余,且各阶段工作之间能够连贯衔接,否则将严重影响生产。

五、船体建造主日程表

船体建造主日程表一般由一组日程表组成。

1.分段制造日程表

分段制造是造船中最典型的中间产品生产区域,分段制造包括分段的部件制造、分段的装配与焊接、预舾装和涂装。

分段制造日程表的编制,是以大合拢时间需求为前提,以内场加工生产能力为基础,以充分发挥平台的能力为中心的综合过程。分段制造主日程表在搭载网络图的基础上,根据分段搭载时间以及分段建造的标准周期编制,由船厂实际生产负荷平衡分段制造计划。

分段制造日程表,各个船厂编制的形式多样,有表格的形式和框图的形式等,但通常都以分段号为单元,比如附表四(一)所示的为江苏熔盛重工的分段制造日程表,该表明确规

定各工艺阶段切割、小组立、组立、预舾装、分段涂装等的开工时间以及完工时间,最后表明该分段可以进入总组/搭载的日期。附表四(二)所示的是南通中远川崎船舶工程有限公司组立车间3A跨的分段制造日程表,该表明确了在该跨内完成分段建造从主板拼板、主板焊接、划线、构件装焊、分段检查等各阶段的日程。

2. 平台负荷计划

为了提高分段日程表编制质量,在分段制造计划编制过程中,必须进行装焊平台负荷计划的计算和平衡。平台负荷计划实际是一个生产面积平衡计算过程,是分段制造日程编定的计算依据。平台负荷计划见附表五。

(1)目的

优化平台使用和充分提高平台能力及产量。

(2)依据

平台负荷计划的依据是船只分段的工艺特性、平台专业化生产的划分、平台设备能力、平台单位面积的月装焊、实际分段的投影面积以及过去经验数据资料。

(3)步骤

按一定的比例将平台和分段投影面积设绘好。

按平台专业划分和分段制造日程表的安排,编排平台上分段胎位图,胎位与胎位之间必须按一定比例留有平台辅助面积。

在平台上按建造日程表排出全部胎位图和出胎位进胎位的先后程序。

核查平台胎位能否满足建造日程表,不满足则反复调整至平衡合理。

3. 船体加工日程表

船体加工日程表在分段制造日程表编制之后,合理有序的对在船体加工车间(内业车间)各工位零件加工的计划,主要是板材、型材的切割和加工。

(1)依据

分段制造日程表所确定的对应分段下料配套计划,加工物量的统计,各工位的划分规定,切割设备的技术能力和过去的经验数据,内场加工实际负荷,对应分段生产设计提供的工程量的信息和工艺特性,分段制造的工艺流程。

(2)方法

板材加工日程表主要根据加工物量统计的各分段切割长度、分段制造所需材料的日程、加工的难易程度,按照工艺流程的要求(比如平面板材与曲面板材、大主板与结构零件、需不需要开剖口等),结合数控切割机的类型和切割能力,均衡合理的分配到不同切割和加工工位上。型材加工日程表主要根据加工物量统计的各分段型材规格长度、分段制造所需材料的日程、加工的难易程度,按照不同的加工要求(比如端部处理、型材的弯与扭、是否直送大组等),均衡合理的分配到不同切割和加工工位上。它们都是以分段为单位编订加工日程表(见附表六)。

六、舾装综合主日程表

在综合日程计划编订的基础上,为更好地方便舾装作业的组织实施,有必要再细化编制舾装主日程表。

舾装综合主日程表,包含了舾装作业的全部内容,并明确按区域、按系统编制项目计划,以"日"为单位展开进度要求。

　　舾装综合主日程表,由于舾装内容十分丰富,关联性又特别强,安装工艺性又十分复杂,所以在具体编制时要按区域整理项目,要列出主线条,抓住主线展开相关项目的计划安排。

　　舾装综合主日程表可以分舾装部分和试验部分两块来编制,这样更清晰。附表七表示的是码头舾装试验日程计划表,它反映的是码头舾装的主要工作,以及这些工作的日程计划。

第三章　网络计划技术

第一节　网络计划技术概述

20世纪50年代,美国杜邦化学公司创立了关键线路法,并在化学工程管理中取得了成功。20世纪60年代初期,网络计划在美国得到全面推广,并在工业、农业、国防和科学研究等项目的计划管理中广泛应用。我国在20世纪80年代开始在工程建设领域推广网络计划技术。

网络图是由箭线和节点组成的、表示工作流程方向的有序网状图形。网络计划是用网络图表示工作顺序、任务构成的工作流程计划图。网络计划技术是运用网络计划来实行计划管理的一种方法。

一、网络计划的分类

网络计划可以按照不同的分类标准,将其分成多种类型,按计划工作性质可以分为肯定型网络计划和非肯定型网络计划;按计划的直观形象可以分为非时标网络计划和时标网络计划;按表示工作计划方法又分为双代号网络计划和单代号网络计划;按计划工作衔接关系分为普通网络计划、流水网络计划和搭接网络计划等分类方法。

二、网络计划技术的特点

由于现代工程计划管理的本身具有复杂性、管理难度大、要求高等特点,网络计划技术运用其中成为必然,与传统的计划技术相比主要有以下特点:运用网络计划技术编制工程计划时,能够突出整体性和系统目标要求;其中工作与工作之间的关系,不仅反映了技术逻辑联系,也反映工艺逻辑联系;网络计划中的各项工作单元,层次性区别明显,逻辑性严密,这一特性便于在操作中抓住主要矛盾进行高效管理。

第二节　双代号网络计划图绘制

双代号网络计划的特点是节点表示工作逻辑,箭线表示工作。双代号网络图的三要素:节点、箭线和线路。

(一)箭线

箭线是带方向箭头的线段,表示计划工作。箭线分为实箭线和虚箭线。

1. 实箭线

实箭线是一端带箭头的实线,表示一项工作。工作名称标注在箭线上方,工作消耗的时间或资源,用数字标注在箭线的下方。如图3-1(a)所示。箭线表示的"工作",可以是一个简单的工序或是一个复杂的施工过程。例如部件制作、分段预舾装或分段制造,如图3-1(b)所示。箭线表示的工作是整个施工计划中的一项工作单元。箭线的方向表示的工

作流程,箭尾表示工作的开始,箭头表示工作的结束。

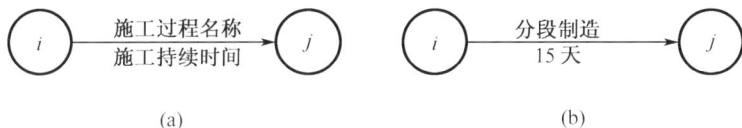

(a) (b)

图3-1　双代号网络图中的实箭线

2. 虚箭线

虚箭线即一端带箭头的虚线,表示一项虚拟的工作,以使工作间的逻辑关系得到正确表达。它既不消耗时间,也不消耗资源,表示方式如图3-2所示。

图3-2　双代号网络图的
虚箭线表示

(二)节点

节点也称事件,用圆圈和编号来表示。节点表示工作之间的逻辑关系。节点根据其位置不同可以分为始节点、终节点、中间节点。始节点是网络图中的第一个节点,它表示一项任务开始,终节点是网络图中的最后的一个节点,它表示一项任务的结束。网络图中的其他节点都是中间节点,表示紧前工作的结束又表示紧后工作的开始,如图3-3所示。

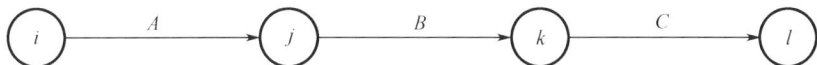

图3-3　始节点与终节点

节点i是计划的开始节点,节点1是计划的终止节点,节点j、k是中间节点。一根箭线和两个不同编号的节点表示一项工作,如图3-3中的节点j到节点k表示B工作。对同一个节点而言,可以有几根箭线指向该节点,这些箭线称为"内向箭线"或"结束工作";同样也可以有几根箭线从这一节点引出,这些箭线称为"外向箭线"或"开始工作",如图3-4所示。

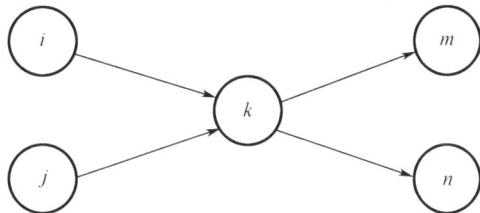

图3-4　内向箭线和外向箭线

(三)线路

线路是指网络图中从始节点开始,沿箭头方向通过一系列的箭线和节点达到终节点的通路。网络图中,从始节点到终结点之间,一般都存在着多条线路,每条线路上所有工作的工作时间之和为这条线路的总持续时间。任何一个网络图中至少存在一条时间最长的线路,这条线路总的工作持续时间最长,线路上任何工作时间的拖延都会导致总工期的延长,这种线路称为关键线路。在关键线路上的工作都称为关键工作。

关键线路在网络图上一般用粗线、双线或彩色线表示。它不是固定的,在一定条件下,关键线路和非关键线路之间可以互相转化,例如当关键工作的工作时间缩短,或非关键工作的工作时间延长时,就有可能使关键线路与非关键线路发生转化。在网络计划图中,关键工作不宜太多,它是进行项目工作计划、施工过程控制和管理的重点。

非关键线路都有若干可以调整的时间,称为时差,它意味着工作完成日期在一定范围内调整而不影响工作进度。工作时差的意义在于可以使非关键工作在时差允许范围内放慢进度,改变工作开始和结束时间,以达到均衡生产的目的;或者将部分资源转移到关键工作上去,以加快关键工作的进度。若合同工期等于计划工期时,关键线路上的工作总时差为0。

一、绘制双代号网络图

(一)网络图计划的工作类型

平行工作,与本工作共首节点的工作或具备同时开工条件的工作,互称平行工作。紧前工作,紧排在本工作之前的工作。紧后工作,紧排在本工作之后的工作。起始工作,网络图中的第一项的工作。结束工作,网络图中的最后一项工作。先行工作,自起始工作至本工作之前的所有工作。后续工作,本工作之后至结束工作为止的所有工作。

(二)网络图计划的逻辑关系

网络图中的逻辑关系是指网络计划中各个工作之间本身存在的或安排的先后顺序关系。这种关系分为两类:一类是施工工艺关系,称为工艺逻辑。工艺逻辑关系是由建造工艺所决定的各工作之间本身存在的先后顺序。对于一个具体的作业来说,当确定了施工方法以后,则该作业的各个工作的先后顺序一般是固定的。如T型材排制作必须先将面板和腹板装配定位后才能进行焊接。另一类是施工组织关系,称为组织逻辑。组织逻辑关系是在船舶建造过程中,考虑资源的合理分配利用,在各工作之间安排的顺序施工、平行施工、搭接施工、流水施工等。组织逻辑关系必须遵循施工工艺逻辑为前提,在保证施工质量和建造周期等前提下正确安排工作顺序。

(三)逻辑关系的表示方法

在绘制网络计划时,必须正确反映各工作之间的逻辑关系,见表3-1。

表3-1 工作之间的逻辑关系在网络图中的表示方法

序号	工作之间的逻辑关系	双代号网络图表示方法	单代号网络图表示方法
1	工作A、B完成后进行工作C和D		
2	工作A完成后进行工作B和C		
3	工作A完成后进行工作C、D;工作B完成后进行工作D、E		

表 3 – 1(续)

序号	工作之间的逻辑关系	双代号网络图表示方法	单代号网络图表示方法
4	工作 A 完成后进行工作 C；工作 A、B 完成后进行工作 D		

(四)网络图绘制的基本规则

(1)一个网络图只允许有一个始节点和一个终结点。如图 3 – 5 出现了多个始节点和终结点是错误的。

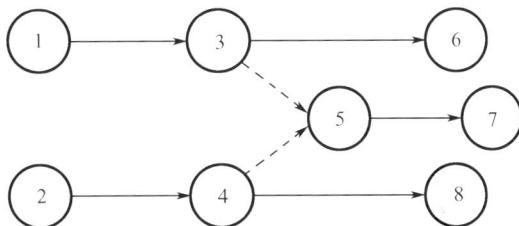

(2)网络图中,不允许出现编号相同的节点或箭线,但可连续编号或者跳号。箭尾的编号应小于箭头的编号。

(3)网络图是一种有向图,沿箭头的方向循序进行,不允许出现循环闭合线路如图 3 – 6 所示。一根箭线只有一个箭头。网络图中不允许出现双向箭头和无箭头的箭线,此外也应尽量避免使用反向箭线,以免引起误解。如图 3 – 7 所示就是错误的表示方法。

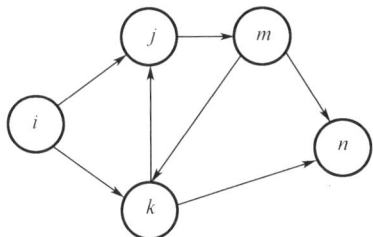

图 3 – 5 出现多个始节点和终节点的错误

图 3 – 6 出现循环线路

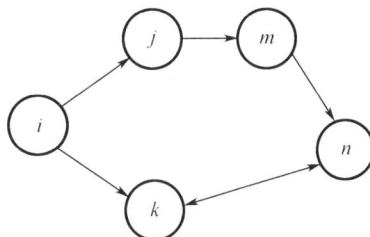

图 3 – 7 错误的箭头表示方法

(4)网络图中尽量避免交叉箭线,当无法避免时,应采用过桥法即用过桥符号表示箭线交叉,避免绘图方法的混乱如图 3 – 8(a)所示;指向法即在箭线的交叉处截断,添加虚线指向圈以指示箭线方向的绘图方法如图 3 – 8(b)所示。

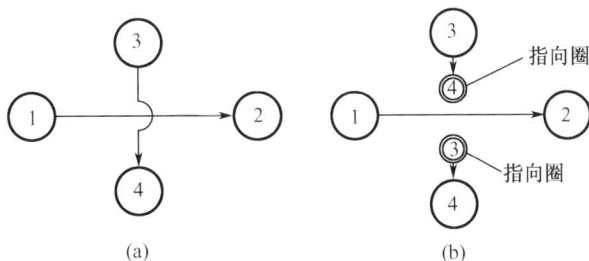

(5)网络图中的箭线一般为水平线和竖线,而不使用曲线。

(6)网络图中的虚箭线可以使网络计划中的逻辑关系更加清晰,起到"切断"和"连接"的作用。

用虚箭线切断逻辑关系。如图 3 – 9(a)中所示的 A、B 工作的紧后工作是 C、D 工作,如果要切

图 3 – 8 箭线交叉的两种表示法
(a)过桥法;(b)指向法

船舶工程专业 CHUANBO GONGCHENG ZHUANYE

断 A 工作与 D 工作的逻辑关系，那么可以增加虚箭线,同时增加节点,如图 3 −9(b)所示。

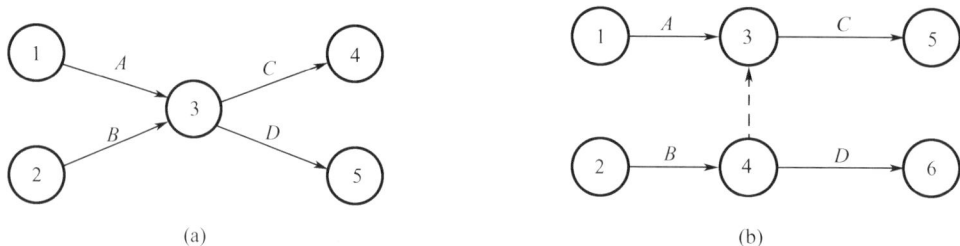

图 3 −9 切断逻辑关系
(a)A、D 存在逻辑关系;(b)A、D 不存在逻辑关系

用虚箭线连接逻辑关系。如图 3 −10(a)中 B 工作的紧前工作是 A 工作,D 工作的紧前工作是 C 工作。若 D 工作的紧前工作是 C 和 A 工作,那么连接 A 与 D 的关系就要使用虚箭线,如图 3 −10(b)所示。

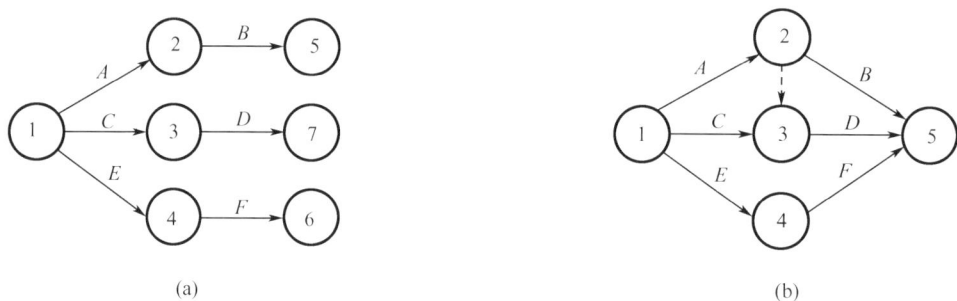

图 3 −10 连接逻辑关系
(a)A、D 不存在逻辑关系;(b)A、D 存在逻辑关系

(五)网络图的绘制步骤

绘制步骤①搜集各种信息,如合同信息、设计信息、工厂基础数据等;②将整个工作进行分解,例如在船体制造过程中,可将整个船体分解成多个分段进行加工制造;③分析和确定工作逻辑关系,将分解后的工作按工艺逻辑或组织逻辑分析出哪项工作为起始工作,哪项工作为结束工作,以及工作之间的先后关系和平行关系;④计算各工作的施工时间和资源;⑤绘制网络图。按照选定的网络图逻辑关系表示方法,运用规定符号,从起始工作开始,自左向右依次绘制,直至结束工作绘完为止;检查工作和逻辑关系有无错漏,并进行相应的改正;按网络图绘图规则的要求完善网络图;按网络图的编号要求将节点编号并进行标注。

例 3 −1 已知某项目的工作任务计划如表 3 −2 所示,请绘制其双代号网络计划图。

表 3 −2 某项目的工作任务计划

工作名称	A	B	C	D	E	F	G	H	I	J
紧后工作	C、D	C、E	F、G、H	F	G	I	J	I	—	—
工作时间	1	5	3	3	4	6	5	3	2	4

解 按照绘图步骤和规则,绘制的双代号网络图如图 3－11 所示。

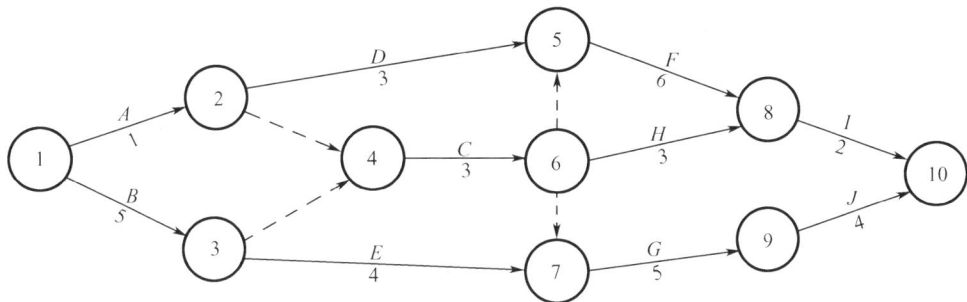

图 3－11 双代号网络图

二、双代号网络图的参数及其计算

计算网络图时间参数是为了确定关键线路,使得在项目工作中能抓住主要矛盾,确定计划控制的重点即关键工作。计算网络图的时间参数也可确定总工期,做到工程进度心中有数。计算非关键线路上的管理时差参数,明确其存在的机动时间,使得工作计划有一定的弹性。

双代号网络图的时间参数分为节点参数、工作参数、管理参数三种类型。节点参数,一般分为节点最早可能实现时间 ET_i 和节点最迟必须实现时间 LT_i 两个;工作参数,工作参数主要反映项目工作的计划完工、完工状态,一般分为 4 个。工作最早可能完工时间 EF_{ij}、工作最早可能开工时间 ES_{ij}、工作最迟必须完工时间 LF_{ij}、工作最迟必须开工时间 LS_{ij};管理控制参数是指在计划实施过程中,管理者进行计划调整、过程状态控制和目标控制的参数,一般也分为 4 个。工作总时差 TF_{ij}、工作自由时差 FF_{ij}、工作相干时差 IF_{ij}、工作独立时差 DF_{ij}。

（一）常用参数指标的表示

常用指标、参数的表示符号,见表 3－3。

表 3－3 常用指标、参数表示符号表

指标或参数	表示符号	指标或参数	表示符号
网络计划的计划工期	T_p	工作 $i-j$ 最早可能开工时间	ES_{ij}
网络计划的计算工期	T_c	工作 $i-j$ 最早可能完工时间	EF_{ij}
工作 $i-j$ 施工持续时间	t_{ij}	工作 $i-j$ 最迟必须开始时间	LS_{ij}
节点 i 最早可能实现时间	ET_i	工作 $i-j$ 最迟必须完工时间	LF_{ij}
节点 i 最迟必须实现时间	LT_i	工作 $i-j$ 的相干时差	IF_{ij}
工作 $i-j$ 的总时差	TF_{ij}	工作 $i-j$ 的独立时差	DF_{ij}
工作 $i-j$ 的自由时差	FF_{ij}		

船舶工程专业 CHUANBO GONGCHENG ZHUANYE

(二)双代号网络图的时间参数计算及标注

双代号网络图时间参数的计算方法很多,如分析计算法、图上计算法、表上计算法、矩阵计算法等,其基本原理和思想都是一致的。本节主要从时间参数的概念出发,介绍其计算原理。

1. 节点最早可能实现时间 ET_i

是该节点之前的工作全部完成,后面工作最早可能开工的时间。

一般规定网络起始节点的最早实现时间为零(始节点为合同开工日期),其他节点最早实现时间 ET_j 等于从起始节点开始,顺着各线路依次计算施工持续时间之和的最大值,即

$$ET_i = 0$$
$$ET_j = \max\{ET_i + t_{ij}\}$$

式中　t_{ij}——工作 $i-j$ 施工持续时间。

2. 节点最迟必须实现时间 LT_i

是指不影响终节点的最迟必须实现时间,以该节点为完成节点逆着箭线的方向依次计算的各工作最迟必须完成的时间。

一般终节点的最迟必须实现时间应以计划工期 T_p 为准,当未规定的情况下,终节点最迟必须实现时间等于终节点的最早可能实现时间;其他节点的最迟必须实现时间等于终节点最迟实现时间减去由本节点到终节点各线路工作持续时间的最小值,即

$$LT_n = T_p \quad (规定工期时,n 为终节点)$$
$$LT_n = ET_n \quad (未规定工期时)$$
$$LT_i = \min\{LT_j - t_{ij}\}$$

式中　LT_j——终结点最迟实现时间;

　　　t_{ij}——节点 i 到终结点的工作持续时间。

3. 工作最早可能开工时间 ES_{ij}

一般指工作具备了相应施工的条件后,可以开始工作的最早时间。

当以起始点 i 为箭尾节点的工作 $i-j$,且未规定最早开工时间时,其值为

$$ES_{ij} = 0$$

当工作 $i-j$ 只有一项紧前工作 $h-i$ 时,其值为

$$ES_{ij} = ES_{hi} + t_{ij}$$

当工作 $i-j$ 有多个紧前工作时,其值为

$$ES_{ij} = \max\{ES_{hi} + t_{ij}\} \quad h-i 为工作 i-j 紧前工作$$

4. 工作最早可能完工时间 EF_{ij}

按最早可能开工时间开工并完成该工作的结束时间。

工作最早可能完工时间等于该工作最早可能开工时间与本工作施工持续时间两者之和,即

$$EF_{ij} = ES_{ij} + t_{ij}$$

5. 工作最迟必须完工时间 LF_{ij}

即该工作在不影响整个任务按期完成的前提下,工作必须完成的最迟时刻。

当以终结点 $(j=n)$ 为箭头节点的工作最迟必须完工时间 LF_{in},应按网络计划的计划工期 T_p 确定,即

$$LF_{in} + T_p$$

其他工作的最迟必须完工时间 LF_{ij} 为

$$LF_{ij} = \min\{LF_{jk} - t_{ij}\} \quad j-k \text{ 为工作 } i-j \text{ 紧后工作}$$

6. 工作最迟必须开始时间 LS_{ij}

不影响整个任务按期完成的条件下,工作必须开始施工的时间。

工作最迟必须开始时间等于该工作最迟完工时间减去本工作施工持续时间,即

$$LS_{ij} = LF_{ij} - t_{ij}$$

7. 工作总时差 TF_{ij}

它是指在不影响工程总工期的前提下,本工作所具有的最大机动时间。

工作的总时差的利用对同一线路上的紧前工作和紧后工作的开工或结束时间都会产生影响。总时差等于本工作的最迟开始时间减去最早开始时间,或本工作最迟结束时间减去最早结束时间,即

$$TF_{ij} = LS_{ij} - ES_{ij}$$
$$TF_{ij} = LF_{ij} - EF_{ij}$$

或

8. 工作自由时差 FF_{ij}

是指在不影响其紧后工作最早开工时间的条件下,本工作可以利用的机动时间。

工作的自由时差,只能被本工作所利用,若利用不会对紧后工作的时差参数产生影响,但会对其紧前工作的时差产生影响。自由时差小于或等于总时差;在关键线路上的工作,其自由时差与总时差相等。其计算公式如下

$$FF_{ij} = ET_j - ET_i - t_{ij}$$

9. 工作相干时差 IF_{ij}

是指在同一线路上,本工作与紧后工作共用的机动时间。

利用工作相干时差,将减少紧后工作的时差,它可被紧后工作利用变为其自由时差,且对紧后工作的时差有影响。工作相干时差就是总时差减掉自由时差的部分,其计算公式如下

$$IF_{ij} = TF_{ij} - FF_{ij} = LT_j - ET_j$$

10. 工作独立时差 DF_{ij}

它是在不影响其紧后工作按最早开工条件下,允许本工作推迟开工时间或延长其持续时间的幅度。

工作的独立时差只能被本工作利用,是否利用对紧前紧后工作时差不产生影响。在非关键线路上,工作线路存在分支的情况下,相应工作独立时差 DF_{ij} 的计算公式如下

$$DF_{ij} = EF_{ij} - IF_{ij}(i<j)$$

或

$$DF_{ij} = ET_j - LT_i - t_{ij}$$

对于双代号网络计划中的工作,其时间参数之间的相互关系见图 3-12。

(三)网络计划工作时间参数的图上标注

工作参数的六时标标注即是按工作计算法标注内容,见图 3-13(a);工作参数的全时标标注是按节点计算法标注的内容,见图 3-13(b)。

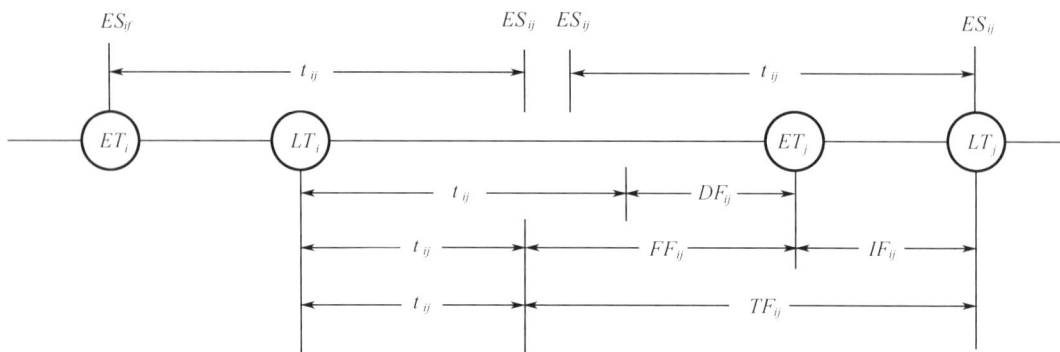

图 3 – 12　工作时间参数关系图

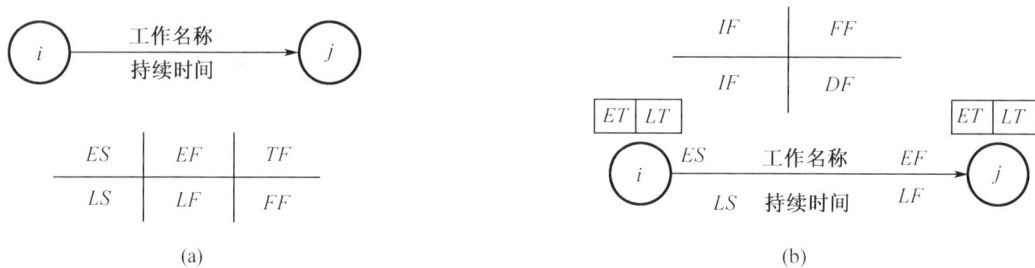

　　　　　(a)　　　　　　　　　　　　　　　　(b)

图 3 – 13　工作时间参数的图上标注方法

（a）六时标标注；（b）全时标标注

第三节　单代号网络图的绘制及计算

一、单代号网络图的绘图三要素

　　单代号网络图的三要素也是箭线、节点和线路。单代号网络图中的每一个节点表示一项具体的工作。节点所表示的工作名称、持续时间和工作代号等应标注在节点内。节点的表示方法见图 3 – 14(a)；箭线，表示紧邻工作之间的逻辑关系。箭线的箭头表示工作的进度方向，箭头节点表示的工作为箭尾节点工作的紧后工作，工作之间的逻辑关系见图 3 – 14 (b)；线路，单代号网络图中的线路与双代号线路相同。

二、绘图规则

　　单代号网络图绘图规则有很多与双代号相同，基本规则如下：

　　(1)单代号网络图中，严禁出现循环闭合回路；

　　(2)单代号网络图的工作节点不出现重复编号，且箭头节点编号大于箭尾节点的编号；

　　(3)单代号网络图中，严禁出现没有箭尾节点的箭线和没有箭头节点的箭线，且不允许出现双向箭头；

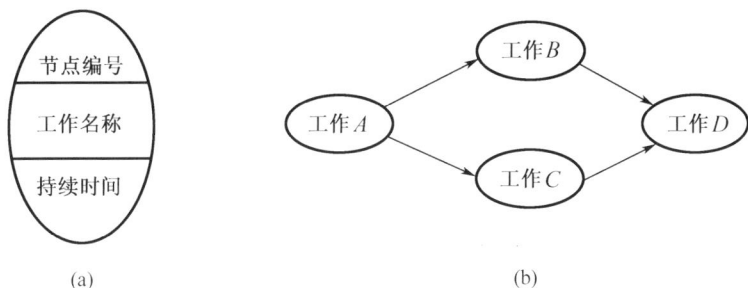

图 3 – 14 单代号节点表示工作及工作关系
（a）节点的表示方法；
（b）A 工作为 B、C 工作的紧前工作；B、C 工作之间为平行工作；
D 工作为 B、C 工作的紧后工作

（4）单代号网络图中只应有一个起始节点和终点节点；当网络图中有多个起始节点或多个终点节点时，应在网络图的两端分别设置一项虚工作，作为该网络图的起始节点和终点节点；

（5）绘制网络图时，箭线不宜交叉，当交叉不可避免时，可采用过桥法或指向法。

例 3 – 2 某船体总段制造分 3 个分段施工，船厂组织了流水施工，绘制其单代号流水施工网络进度计划图。每个分段分 3 项工作：分段制造 $t_{制i} = 15$ 天、分段预舾装 $t_{舾i} = 7$ 天、分段涂装 $t_{涂i} = 5$ 天。

解 根据单代号网络图的绘制规则和方法，其单代号流水施工网络图如下图所示。

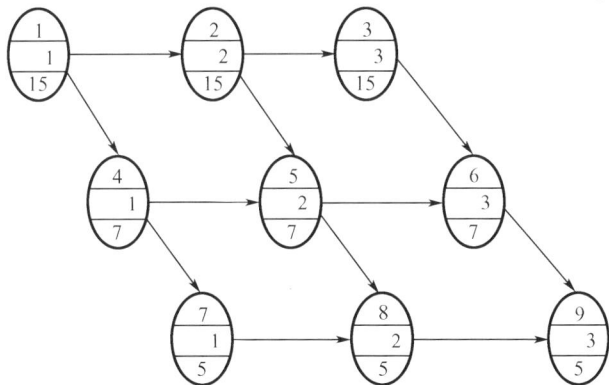

三、单代号网络图时间参数计算（即图上标准）

（1）工作最早可能开工时间：当起始节点 i 的最早开始时间无规定时，其值应等于零；其他 j 工作的最早可能开工时间为 ES_j，等于其紧前工作的最早可能完工时间 EF_i 的最大值。

$$ES_i = 0$$

$$ES_j = \max\{EF_i\}$$

（2）工作最早可能完工时间 EF_i，应按下式进行计算

$$EF_i = ES_i + t_i$$

式中 t_i ——工作 i 的各紧前工作的持续时间。

(3)工作的最迟必须完成时间:工作 i 的最迟必须完工时间应从网络计划的终点节点开始,逆着箭线方向依次逐项计算。

终点节点所代表的工作 n 的最迟完成时间 LF_n ,应按网络计划的计划工期 T_p 来确定,即

$$LF_n = T_p$$

其他工作 i 等于其后续工作的最迟开工时间的最小值。

$$LF_i = \min\{LS_j\}$$

(4)工作的最迟必须开始时间 LS_i ,应按下式进行计算

$$LS_i = LF_i - t_i$$

(5)工作的总时差 TF_i ,应从网络计划的终结点开始,逆着箭线的方向依次计算。当部分工作分期完成时,有关工作的总时差必须从分期完成的节点开始逆向逐项计算。

终点节点所代表的工作 n 的总时差 TF_n 的值应为

$$TF_n = T_p - EF_n$$

其他工作的总时差,应按下式进行计算

$$TF_i = LS_i - ES_i$$

(6)自由时差 FF_i ,其计算公式如下

$$FF_i = ES_j - EF_i$$

(7)单代号网络图工作参数的标注:单代号网络图工作参数的标注方法一般有两种,见图 3－15(a)、(b)。

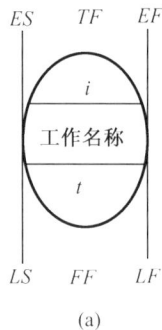

图 3－15 单代号网络图工作参数的标注方法

例 3－3 某项目工作计划安排如表 3－4 所示(时间:月),绘制其单代号网络图。

表 3－4 某项目工作计划安排

工作名称	A	B	C	D	E	G	H
紧后工作	C、D	E	E	G	H	—	—
工作时间	4	2	5	3	3	4	3

解 根据工作逻辑关系以及单代号网络图的绘图规则,该计划的网络图如图3-16所示。

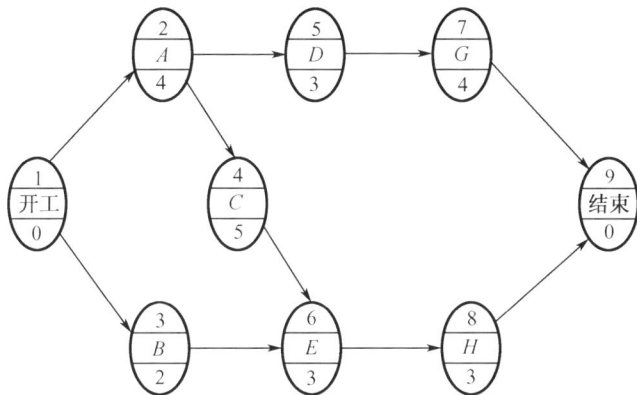

图3-16 某计划的单代号网络图

第四节 双代号时标网络图

双代号时标网络计划以水平时间坐标为尺度表示工作时间。时标的时间单位应根据需要在编制网络计划之前确定,可为小时、天、周、旬、月、季等。时标网络计划应以实箭线表示工作,以虚箭线表示虚工作,以波线表示工作的自由时差。

双代号时标网络图是网络计划的一种直观的表示形式,工作时间表达直观,可直接看出网络计划的部分时间参数。

一、时标网络图的绘制方法

时标网络图绘制方法一般有2种,即直接绘制法和间接绘制法。

（一）直接绘制法

直接绘制法就是不经过计算直接绘制时标网络图的方法。其绘制步骤如下:

（1）按已确定的时间单位绘出时标计划表;

（2）将起始节点定位在时标计划表起始刻度线上;

（3）按工作持续时间在计划表上绘制起始节点的外向箭线;

（4）除起始节点以外的其他节点必须在其所有内向箭线绘出以后,定位在这些内向箭线工作中最晚完成的实箭线的箭头处,其他内向箭线不足以到达该节点时,可用波形线连到该节点处;

（5）用上述方法自左至右依次确定其他节点的位置,直到终结点定位绘完。

（二）间接绘制法

间接绘制法是在编制时先绘制无时标网路计划草图,再计算出时间参数,最后按草图在时标计划表上绘制。在画图时,应先绘制出关键线路,再绘制非关键线路。当某些工作的工作时间不足该工作的完工节点时间时,工作箭线用波形线连接到该节点处,且箭头画在波形线与节点连接处。按工作最早可能开工时间绘制,其绘图步骤如下:

（1）按已确定的时间单位绘出时标计划表;

（2）按工作最早可能开工时间画出各工作始节点的位置；

（3）将各工作的施工持续时间用实线沿起始节点后的水平方向绘出，该工作的作业持续时间即为水平投影长度。当某些工作箭线长度不足以达到该工作的完工节点时，用水平波形线把实线部分与该工作的完工节点连接起来，波形水平投影长度代表该工作的自由时差；

（4）虚工作用虚箭线将各相关节点连接起来以表示各工作之间的逻辑关系；

（5）关键线路是把时差为零的箭线从始节点到终节点连接起来得到的。

例 3 – 4 某工程项目施工计划的施工时间及逻辑关系见表 3 – 5，绘制其时标网络图。

表 3 – 5 某工程项目施工计划的施工时间及逻辑关系

工作名称	A	B	C	D	E	G	H	I	J	K	
紧后工作	C、D	E	I、J	G	H	J	K	—	K	—	
施工持续时间	15	25	30	25	10	15	25	40	35	10	

解 根据逻辑关系及绘图步骤，绘出时标网络图如下所示：

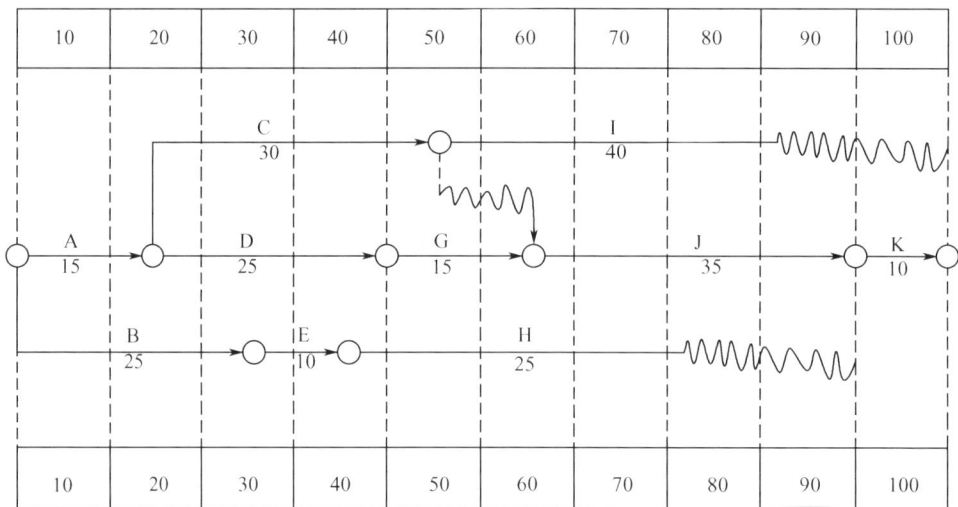

二、时标网络图的关键线路确定及时间参数图示和计算

（一）时标网络图的关键线路确定

时标网络计划的关键线路确定，应从终结点逆着箭线方向朝起节点看，自始至终不出现波形线的线路即为关键线路。

（二）时标网络图的时间参数图示和计算

时标网络图形象直观，计划工作的很多时间参数可以直接在图上反映。

（1）按最早时间绘制的时标网络计划，每条箭线的箭尾和箭头所对应的时标值为该工作的最早开始时间和最早完工时间。

（2）时标网络计划的自由时差，应为表示该工作的箭线中波形线部分在坐标轴上的水平投影长度。

（3）时标网络计划的计算工期，应是终节点与始节点所在位置的时标值之差。

（4）工作的总时差计算应从右至左逐项进行，并在其紧后工作的总时差计算后才能确定，且数值等于紧后工作总时差的最小值与本工作的自由时差之和，即

$$TF_{ij} = \min\{TF_{jk}\} + FF_{ij}, j-k \text{ 为本工作的紧后工作}$$

时标网络计划中工作的最迟必须开工时间和最迟必须完工时间应按下式进行计算

$$LS_{ij} = ES_{ij} + TF_{ij}$$

$$LF_{ij} = ES_{ij} + TF_{ij}$$

第五节　网络计划优化

网络计划的优化，就是在满足既定约束条件下，按某一选定的目标，通过不断改进网络计划寻求最优方案。

网络计划的优化目的是通过改善网络计划，使进度计划在符合要求的前提下，充分提高现有的资源的利用率，降低生产成本。如在资源受约束的情况下，寻求最短周期；在周期约束条件下，寻找成本最低的方案。网络计划优化的目标，应按计划任务的需要和条件选定。包括工期目标优化、资源优化、时间－费用目标优化。

一、工期目标优化

当工期不满足要求时，可通过压缩关键工作的持续时间满足工期要求。工期优化计算，按照下列步骤进行：

（1）计算并找出初始网络计划的计划工期、关键线路及关键工作；

（2）按要求工期计算应缩短的时间；

（3）选择关键工作，采用适当的措施压缩其持续时间，并求出新的网络计划的关键线路和工期；

（4）若调整后的工期符合规定要求，则优化结束，否则重复（1）～（3）的步骤直到满足工期要求或工期不能再缩短为止。

选择应缩短持续时间的关键工作应考虑如下几点：

（1）缩短持续时间对质量和安全影响不大的关键工作；

（2）有充足备用资源的关键工作；

（3）缩短持续时间所需增加的费用最少的关键工作。

二、资源优化

一项计划是否能按期完成往往会受到资源的限制，合理的工作计划的安排，一定使现有的资源均衡利用。如果工作计划安排不当，就会使计划的某些阶段出现对资源需求的高峰或需求的低谷，这种高峰与低谷是一种资源未合理利用的现象。计划的资源优化的目的是通过合理地安排工作计划，解决资源的供应需求之间的矛盾或实现资源的均衡利用。

在资源有限的情况下，安排工作计划，力求使工期最少。其优化步骤如下。

（1）绘制时标网络图。

（2）计算网络计划每"时间单位"资源需用量，绘制资源使用计划图。

（3）从计划开始日期起，逐个检查每个"时间单位"资源需用量，找出超过资源供给的使

用计划时间段。

(4)更改该计划工作的开工时间或资源使用强度,使满足资源限制的条件,且工期最短。绘制调整后的网络计划。

三、时间－费用优化

进行费用优化,应先求出不同工期下最低直接费用,然后考虑相应的间接费的影响和工期变化带来的其他费用,最后求出最低工程的总成本。

(一)时间与直接费的关系

(1)最高直接费:工作的直接费增加到某一极限值,此时再增加直接费,仍不能缩短工作时间。此费用极限值为最高直接费 C_s。

(2)最低工期:不能再缩短的时间界限值 T_s。

(3)正常工期:最低直接费所对应的工期 T_n。

(4)最低直接费:在直接费－工期曲线图中的最低点所对应的费用 C_n。

(5)时间与直接费($T-C$)关系,可简化为线性关系表示,单位时间费用变化率 e 为

$$e = C_s - \frac{C_n}{T_n - T_s}$$

对于不同的工作,其费用变化率是不一样的,因此进行优化时应首先压缩关键线路上单位变化率最小的工作,因为这样压缩一天工期,直接费增加的最少。

(二)时间－费用优化步骤

(1)按正常工期编制网络计划,并找出关键线路和关键工作。

(2)计算出整个网络计划中各项工作的费用率。

(3)找出单位时间费用率最小的一项关键工作或一组关键工作首先予以压缩。这样使直接费增加的最少。

(4)计算加快某关键工作后,计划总工期和直接费,并重新确定关键线路。

(5)重复上述步骤,直到网络计划中关键线路上的工作都达到最短持续时间不能再压缩为止。

(6)根据上述计算结果可得一条直接费曲线,如果间接费曲线已知,将直接费与间接费曲线叠加得到总费用曲线。总费用曲线上的最低点所对应的工期,则为整个工作的最优工期。

第四章 质量管理

众所周知,质量是影响企业竞争力的主要因素之一。没有好的产品质量,就等于失去了在市场上竞争的资格,因此,世界各国的企业管理者们历来都十分重视质量管理,掌握质量管理的内涵和质量管理的主要方法,也就成了管理人员必备的素质。本章将讨论质量管理的概念和重要意义、船厂实现全面质量管理(Total Quality Management,TQM)等主要内容,最后还将介绍 ISO9000 质量认证体系、ISO9000 系列标准的组成及质量认证的目的和意义。

第一节 质量管理概述

一、质量的概念

质量、成本、交货期、服务及响应速度,是决定市场竞争成败的几个关键要素,而质量更是居首位的要素,是企业参与市场竞争的必备条件。质量低劣的产品,成本再低也无人问津。日本企业为什么能够占据世界汽车市场和家用电器市场的领先地位?靠的是优异的产品质量。企业要想跻身国际市场,后来居上,首先要有优质的产品和完美的服务。

提高生产率是社会生产的永恒主题。而只有有了高质量,才可能有真正的高生产率。如果企业的产品和服务的质量不能满足顾客要求,就不能在市场上实现其价值,就是一种无效或低效率的劳动,就不可能有真正的高效率和高效益。

质量是质量管理的对象,正确、全面地理解质量的概念,对开展质量管理工作是十分重要的。在生产发展的不同历史时期,人们对质量的理解随着科学技术的发展和社会经济的变化而有所变化。

自从美国贝尔电话研究所的统计学家休哈特(W. A. Shewhart)博士于 1924 年首次提出将统计学应用于质量控制以来,质量管理的思想和方法不断得到丰富和发展。一种新的质量管理思想和质量管理方式的提出,通常伴随的是对质量概念的重新理解和定义,那么到底什么是质量?国际标准 ISO8402—1986 对质量作了如下定义:质量(品质)是反映产品或服务满足明确或隐含需要能力的特征和特性的总和。现代质量管理认为,必须从用户的观点对质量下定义。这方面最著名的、也是最流行的,是美国著名的质量管理权威朱兰(J. M. Juran)给质量下的定义:"质量就是适用性。"

所谓适用性,就是产品和服务满足顾客要求的程度。企业的产品是否使顾客十分满意,是否达到了顾客的期望,如果没有,就说明存在质量问题。不管是产品本身的缺陷还是没有了解清楚顾客到底需要的是什么,都是企业的责任。

二、质量管理的基本概念

根据 ISO8402—1994 给出的定义,质量管理是指"确定质量方针、目标和职责,并通过质量体系中的质量策划、质量控制、质量保证和质量改进来使其实现的所有管理职能的全部活动"。这个定义指出了质量管理是一个组织管理职能的重要组成部分,必须由一个组织的

21世纪高职船舶系列教材

ERSHIYISHIJI GAOZHI CHUANBO XILIE JIAOCAI

最高管理者来推动,质量管理是各级管理者的职责,并且和组织内的全体成员都有关系,他们的工作都直接或间接地影响着产品或服务的质量。因此,质量管理的涉及面很广。从横向来说,包括战略计划、资源分配和其他系统活动,如质量计划、质量保证、质量控制等活动;从纵向来说,质量管理包括质量方针、质量目标以及质量体系。

三、提高产品质量的意义

产品(服务)质量是任何一个企业赖以生存的基础,提高产品质量对于提高企业竞争力、促进企业的发展有着直接而重要的意义。

1. 质量是企业的生命线,是实现企业兴旺发达的杠杆

一个企业有没有生命力,在经营上有没有活力,首先是看它能否生产和及时向市场提供所需要的质量优良的产品。生产质量低劣的产品,必然要被淘汰,企业也就不能兴旺发达。

2. 质量是提高企业竞争能力的重要支柱

无论在国际和国内市场中,竞争都是一条普遍的规律。市场的竞争首先是质量的竞争,质量低劣的产品是无法进入市场的。可以说,质量是产品进入市场的通行证。企业也只能以质量开拓市场,以质量巩固市场。提高产品质量是企业管理中的一项重要战略。

3. 质量是提高企业经济效益的重要条件

提高产品质量大多可以在不增加消耗的条件下,向用户提供使用价值更高的产品,以优质获得优价,走质量效益型道路,使企业经济效益提高。如果粗制滥造,质量低劣,就必然导致产品滞销,无人购买,这就从根本上失去了提高经济效益的条件。经验也表明,只有高的质量,才可能有高的效益。

产品的质量问题始终是个重大的战略问题。优质能给人们生活带来方便与安乐,能给企业带来效益和发展,最终能使社会繁荣,国家富强;劣质则会给人们生活带来无数的烦恼以至灾难,造成企业的亏损以至倒闭,并由此给社会带来各种不良影响,直接阻碍社会的进步,乃至造成国家的衰败。因此,我们可以把优质的产品和服务看成是人们现代生活与工作的保障。美国著名质量管理专家朱兰博士曾形象地把"质量"比拟为人们在现代社会上赖以生存的大堤,保护着人们的生活。要保证质量大堤的安全,就必须对质量问题常抓不懈。

四、质量管理的原则

为了成功地领导和运作一个组织,需要采用一种系统和透明的方式进行管理。针对所有相关方的需求,实施并保持持续改进其业绩的管理体系,可使组织获得成功。质量管理是组织各项管理的内容之一。八项质量管理原则已经成为改进组织业绩的框架,其目的在于帮助组织达到持续成功。

1. 以顾客为关注焦点

组织依存于其顾客。因此组织应理解顾客当前和未来的需求,满足顾客并争取超越顾客期望。

英语 customer 可以翻译为顾客,也可以翻译成客户、用户、买主等等。按 GB/T 19000—2000 的定义,顾客是"接收产品的组织或个人"。例如消费者、委托人、最终使用者、零售商、受益者和采购方。顾客与供方密切相关,供方是提供产品的组织或个人,例如制造商、批发商、产品零售商或商贩、服务或信息的提供方。没有供方,就没有顾客;反之,没有顾客,供方也难以存在。供方可以是组织内部的或外部的,顾客可以是供方组织内部的或外部的。也

就是说,顾客不仅存在于组织外部,也存在与组织内部。"下一道工序"就是"上一道工序"的顾客。对顾客的理解应是广义的,不能仅仅理解为产品的"买主"。

2. 充分发挥领导作用

领导者确立本组织统一的宗旨和方向。他们应该创造并保持使员工能充分参与实现组织目标的内部环境。

在汉语中,领导有两个含义,一是动词,指领导的行为;二是名词,指担任领导的人。GB/T 19000—2000 族标准强调的是担任领导的人的作用。在 GB/T 19000—2000 中有"最高管理者"术语。最高管理者是指"在最高层指挥和控制组织的一个人或一组人"。显然,最高管理者是领导,而领导不仅仅是"最高管理者",还包括我们的车间主任、组长等各级管理者。

领导在质量管理中的作用是极其关键的,其主要作用是将本企业或组织的宗旨和经营方向与内部环境统一起来,创造一个紧张而团结,活跃而又高效的充满集体主义色彩的企业文化和环境,使全体员工能充分参与质量管理的各项活动,达到企业的预定目标。这里的"内部环境",按 GB/T 19000—2000 族标准的规定,不是指自然环境,也不仅仅是指一般的工作环境,而是指人文环境,是公司内部的情况和条件。员工在公司中的行为是受群体心理制约的,是受社区环境影响的。一个没有良好的质量风气的公司,质量管理体系要正常运行是不可能的。良好质量风气的形成,固然离不开整个社会的质量风气状况,但最重要的还是领导的责任,包括领导的模范带头作用。

3. 全员参与

各级人员是组织之本,只有他们的充分参与,才能使他们的才干为组织获益。

全面质量管理(TQM)有三个本质特征,一是全员参加的质量管理,二是全过程的质量管理,三是全组织的质量管理。全员参与既是 TQM 的一个特点,更是其一个优点。只有充分发挥这个优点,才可能真正取得成效。

产品质量是组织各个环节、各个部门全部工作的综合反映。任何一个环节、任何一个人的工作质量都会不同程度地、直接或间接地影响产品质量。因此,应把所有人员的积极性和创造性都充分的调动起来,不断提高人的素质,人人关心产品质量,人人做好本职工作,全体参与质量管理。经过全体人员的共同努力,才能生产出顾客满意的产品。

TQM 强调全员参与,反映了时代的要求和科学技术的要求,是人性化或人本化管理的体现。事实上,不管组织采取多么严厉的惩罚措施,员工如果消极对待产品质量问题,难免会造成质量事故,使组织遭受不应有的损失。日本产品质量之所以能够达到那么高的水平,与其员工全员参与是分不开的。

4. 注意过程方法

将相关的活动和资源作为过程进行管理,可以更高效地得到期望的结果。

在 GB/T 19000—2000 中,强调鼓励采用过程方法管理组织。GB/T 19001—2000 和GB/T 19004—2000也同样强调:"本标准鼓励在奖励、实施质量鼓励体系以及改进其有效性和效率时,采用过程方法。"过程方法是 2000 版 GB/T 19000—2000 族标准不同于 1994 版的一个重要标志。如何理解过程方法,首先应理解过程。过程是理解过程方法的基础。

过程是"一组将输入转化为输出的相互关联或相互作用的活动"(GB/T 19000—2000)。产品是"过程的结果",程序是"为进行某项活动或构成所规定的途径",任何将所接收的输入转化为输出的活动都可视为过程。

船舶工程专业

CHUANBO GONGCHENG ZHUANYE

过程方法实际上是对过程网络的一种管理办法,它要求组织系统地识别并管理所采用的过程以及过程的相互作用。

5. 运用管理的系统方法

识别、理解和管理作为体系的相互关联的过程,有助于组织实现其目标的效率和有效性。

英语 system 既可以译成体系,也可以译成系统。因此,质量管理体系也可以称为质量管理系统。全面质量管理(TQM)的"全面"两字,也隐含着系统的意思。

系统论是 20 世纪最重要的科学思想,已广泛渗透到哲学、社会科学和管理科学中。系统论要求将任何一件事或任何一个要素,都看作是一个系统的组成部分。TQM 正是在系统论的基础上逐步发展起来的。没有系统思想,就无法理解 TQM,也无法理解 ISO9000 族标准,更无法使组织的质量管理体系奖励起来并有效运行。

6. 持续改进

组织总体业绩的持续改进应是组织的一个永恒的目标。

持续的质量改进是全面质量管理(TQM)的核心内容之一。日本正是通过 QCC(品质管制圈,简称品管圈。它是在自发的原则上,由同一工作场所的员工,以小组形式组织起来,利用品管的简易统计手法及工具,进行分析,解决工作场所的障碍问题以达到业绩加强及改善之目标的品质管理活动),不断进行质量改进,才使其跻身世界经济强国之列。美国近年来经济强劲,也是在技术上、管理上的不断创新的结果。早期的 ISO9000 标准忽视了质量改进,曾受到广泛的批评。为此在 1993 年专门发布了 ISO9004—4:1993《质量管理和质量体系要素 第四部分:质量改进指南》作为补充。2000 版 ISO9000 族标准虽然取消了上述标准,但对质量改进更加重视。改进与测量、分析一起,是 2000 版 ISO9000 族标准质量管理体系"四大板块"之一。而且 ISO9004:2000 的标题就改为"业绩改进指南"。

持续的质量改进是组织永恒的目标,任何时候都具有重要意义。特别是在当今世界上,质量改进更是组织生命力所在,不能荒废。

7. 运用基于事实的决策方法

有效决策是建立在数据和信息分析基础上。

TQM 是从统计质量管理发展而来的,它要求尊重客观事实,尽量用数据说话。真实的数据既可以定性反映客观事实,又可以定量描述客观事实,给人以清晰明确的数量概念,这样就可以更好地分析问题、解决问题,纠正那种凭感觉、靠经验、"拍脑袋"的工作方法。要用事实和数据说话,在管理中就应当做好(这也是 GB/T19004—2000 的要求)如下几点:加强信息管理;灵活运用统计技术;加强质量记录的管理;加强计量工作。

8. 保证互利的供方关系

组织与其供方是相互依存的,互利的关系可增强双方创造价值的能力。

与 1994 版相比,GB/T 19004—2000 的重大改动之一,就是将"供方和合作关系"作为组织的一种"资源",要求组织进行"资源管理",并且还把供方的互利关系作为质量管理八大原则之一。过去,包括 TQM 的一些书籍,都只把组织自己作为"顾客",把供方作为单纯的供货者,只对供方提出这样那样的要求。GB/T 19004—2000 提升了供方的地位,要求组织与供方奖励"互利"的关系,很有值得深思的含义。

五、质量管理发展历程

质量管理这一概念早在 20 世纪初就提出来了,它是伴随着企业管理与实践的发展而不

断完善,并随着市场竞争的变化而发展起来的。

从质量管理的发展历史可看出,不同时期,质量管理的理论、技术和方法都在不断地发展和变化,并且有不同的发展特点。从一些工业发达国家经过的历程来看,质量管理的发展大致经历了三个阶段。

1. 产品质量的检验阶段(20世纪20~30年代)

20世纪初,美国企业出现了流水作业等先进生产方式,提高了对质量检验的要求,随之在企业管理队伍中出现了专职检验人员,组成了专职检验部门。从20世纪初到20世纪40年代前,美国的工业企业普遍设置了集中管理的技术检验机构。

质量检验对于工业生产来说,无疑是一个很大进步,因为它有利于提高生产率,有利于分工的发展。但从质量管理的角度看,质量检验的效能较差,因为这一阶段的特点就是按照标准规定,对成品进行检验,即从成品中挑出不合格品。这种质量管理方法的任务只是"把关",即严禁不合格品出厂或流入下一工序,而不能预防废品产生。虽然可以防止废品流入下道工序,但是由废品造成的损失已经存在了,无法消除。

1924年,美国贝尔电话研究所的统计学家体哈特博士提出了"预防缺陷"的概念。他认为,质量管理除了检验外,还应做到预防,解决的办法就是采用他所提出的统计质量控制方法。

与此同时,同属贝尔研究所的道奇(H. F. D. dge)和罗米格(H. G. Romig)又共同提出,在破坏性检验的场合采用"抽样检验表",并提出了第一个抽样检验方案。此时,还有瓦尔德(A. Wald)的序贯抽样检验法等统计方法。但在当时。只有少数企业,如通用电器公司、福特汽车公司等采用他们的方法,并取得了明显的效果,而大多数企业却仍然搞事后检验。这是由于30年代前后,资本主义国家发生严重的经济危机,在当时生产力发展水平不太高的情况下,对产品质量的要求也不可能高,所以,用数理统计方法进行质量管理未被普遍接受。因此第一阶段,即质量检验阶段一直延续到40年代初。

2. 统计质量管理阶段(20世纪40~50年代)

由于第二次世界大战对大量生产(特别是军需品)的需要,质量检验工作立刻显示出其弱点,检验部门成了生产中最薄弱的环节。由于事先无法控制质量,以及检验工作量大,军火生产常常延误交货期,影响前线军需供应。这时,休哈特防患于未然的控制产品质量的方法及道奇、罗米格的抽样检查方法被重视起来。美国政府和国防部组织数理统计学家去解决实际问题,制订战时国防标准,即《质量控制指南》、《数据分析用的控制图法》、《生产中质量管理用的控制图》,这三个标准是质量管理中最早的标准。

在美国战时的质量管理方法的研究中,哥伦比亚大学的"统计研究组"作出了较大的贡献。该组是作为政府机关的应用数学咨询机构而成立的,在其许多的研究成果中,具有特殊意义的是瓦尔德提出的逐次抽检(序贯抽检)法。

第二次世界大战后,美国的产业界顺利地从战时生产转入到和平生产,统计方法在国民工业生产中得到了广泛的应用。随后,在欧美各国企业相继推广开来。

这一阶段的手段是利用数理统计原理,预防产生废品并检验产品的质量。在方式上是由专职检验人员转过来的专业质量控制工程师和技术人员承担。这标志着将事后检验的观念转变为预防质量事故的发生并事先加以预防的概念,使质量管理工作前进了一大步。

但是,这个阶段曾出现了一种偏见,就是过分地强调数理统计方法,忽视了组织管理工作和生产者的能动作用,使人误认为"质量管理好像就是数理统计方法"、"质量管理是少数数学家和学者的事情",因而对统计的质量管理产生了一种高不可攀、望而生畏的感觉。这

种倾向阻碍了数理统计方法的推广。

3. 全面质量管理阶段(20 世纪 60 年代至今)

从 20 世纪 60 年代开始,进入全面质量管理阶段。由于科学技术的迅速发展,工业生产技术手段越来越现代化,工业产品更新换代也越来越频繁,特别是出现了许多大型产品和复杂的系统工程,质量要求大大提高了,特别是对安全性、可靠性的要求越来越高。此时,单纯靠统计质量控制,已无法满足要求。因为整个系统工程与试验研究、产品设计、试验鉴定、生产准备、辅助过程、使用过程等每个环节都有着密切关系,仅仅靠控制过程是无法保证质量的。这样就要求以系统的观点,全面控制产品质量形成的各个环节、各个阶段。其次,行为科学在质量管理中得到应用,其中主要内容就是重视人的作用,认为人受心理因素、生理因素和社会环境等方面的影响,因而必须从社会学、心理学的角度去研究社会环境、人的相互关系以及个人利益对提高工效和产品质量的影响,发挥人的能动作用,调动人的积极性,加强企业管理。同时,认识到不重视人的因素,质量管理是搞不好的。因而在质量管理中,也相应地出现了"依靠工人"、"自我控制"、"无缺陷运动"和"质量控制(QC)小组活动"等。

此外,由于"保护消费者利益"运动的发生和发展,迫使政府制定法律,制止企业生产和销售质量低劣、影响安全、危害健康等的劣质品,要求企业对提供产品的质量承担法律责任和经济责任。制造者提供的产品不仅要求性能符合质量标准规定,而且在保证产品售后的正常使用过程中,使用效果良好,安全、可靠、经济。于是,在质量管理中提出了质量保证和质量责任问题,这就要求在企业建立全过程的质量保证系统,对企业的产品质量实行全面的管理。

基于上述理由,美国通用电器公司的费根堡姆(A. V. Feigenbaum)首先提出了全面质量管理的思想,或称"综合质量管理",并且在 1961 年出版了《全面质量管理》一书。他指出,要真正搞好质量管理,除了利用统计方法控制制造过程外,还需要组织管理工作,对生产全过程进行质量管理。他还指出执行质量职能是企业全体人员的责任,应该使全体人员都具有质量意识和承担质量的责任。费根堡姆还同朱兰等一些著名质量管理专家建议用全面质量管理代替统计质量管理。全面质量管理的提出符合生产发展和质量管理发展的客观要求,所以,很快被人们普遍接受,并在世界各地逐渐普及和推行。经过多年实践,全面质量管理理论已比较完善,在实践上也取得了较大的成功。

六、质量控制的依据

目前,造船企业造船过程中质量控制的依据为:已批准的设计文件、施工图纸及相应的设计变更与修改文件;各种规范;已批准的施工组织设计(包括施工措施计划);合同中引用的国家和行业的现行施工操作技术规范、规程和标准;合同中引用的有关原材料、半成品、构配件的技术标准;产品技术标准;有关材料检验等的技术标准;有关材料验收、包装、标志、质量说明书等技术标准。

第二节 全面质量管理

一、全面质量管理的概念、特点及内容

(一)全面质量管理的概念

全面质量管理,是指在全社会的推动下,企业的所有组织、所有部门和全体人员都以产

品质量为核心,把专业技术、管理技术和数理统计结合起来,建立起一套科学、严密、高效的质量保证体系,控制生产全过程影响质量的因素,以优质的工作、最经济的办法,提供满足用户需要的产品(服务)的全部活动。简言之就是全社会推动下的、企业全体人员参加的,用全面质量去保证生产全过程的质量的活动,而核心就在"全面"二字上。

(二)全面质量管理的特点

全面质量管理的特点就在"全面"上,所谓"全面"有以下四方面的含义。

1. 全面质量的管理

所谓全面质量就是指产品质量、过程质量和工作质量。全面质量管理不同于以前质量管理的一个特征,就是其工作对象是全面质量,而不仅仅局限于产品质量。全面质量管理认为应从抓好产品质量的保证人手,用优质的工作质量来保证产品质量,这样能有效地改善影响产品质量的因素,达到事半功倍的效果。

2. 全过程质量的管理

所谓的全过程是相对制造过程而言的,就是要求把质量管理活动贯穿于产品质量产生、形成和实现的全过程,全面落实预防为主的方针,逐步形成一个包括市场调研、开发设计直至销售服务全过程所有环节的质量保证体系,把不合格品消灭在质量形成过程之中,做到防患于未然。

3. 全员参加的质量管理

产品质量的优劣,取决于企业全体人员的工作质量水平,提高产品质量必须依靠企业全体人员的努力。企业中任何人的工作都会在一定范围和一定程度上影响产品的质量。显然,过去那种依靠少数人进行质量管理是很不得力的。因此,全面质量管理要求不论是哪个部门的人员,也不论是厂长还是普通职工,都要具备质量意识,都要承担具体的质量职能,积极关心产品质量。

4. 全社会推动的质量管理

所谓全社会推动的质量管理指的是要使全面质量管理深入持久地开展下去,并取得好的效果,就不能把工作局限于企业内部,而需要全社会的重视,需要质量立法、认证、监督等工作,进行宏观上的控制引导,即需要全社会的推动。全面质量管理的开展要求全社会推动这一点之所以必要,一方面是因为一个完整的产品,往往是由许多企业共同协作来完成的,例如,机器产品的制造企业要从其他企业获得原材料,从各种专业化工厂购买零部件等。因此,仅靠企业内部的质量管理无法完全保证产品质量;另一方面,来自于全社会宏观质量活动所创造的社会环境可以激发企业提高产品质量的积极性和认识到它的必要性。例如,通过优质优价等质量政策的制定和贯彻,以及实行质量认证、质量立法、质量监督等活动以取缔低劣产品的生产,使企业认识到,生产优质产品无论对社会和对企业都有利,而质量不过关则企业无法生存发展,从而认真对待产品质量和质量管理问题,以便全面质量管理得以深入持久地开展下去。

(三)全面质量管理的主要工作内容

全面质量管理是生产经营活动全过程的质量管理,要将影响产品质量的一切因素都控制起来,其中主要抓好以下几个环节的工作。

1. 市场调查

市场调查过程中要了解用户对产品质量的要求,以及对本企业产品质量的反映,为下一步工作指出方向。

2. 产品设计

产品设计是产品质量形成的起点,是影响产品质量的重要环节,设计阶段要制定产品的生产技术标准。为使产品质量水平确定得先进合理,可利用经济分析方法。这就是根据质量与成本及质量与售价之间的关系来确定最佳质量水平。

3. 采购

原材料、协作件、外购标准件的质量对产品质量的影响是很显然的,因此,要从供应单位的产品质量、价格和遵守合同的能力等方面来选择供应厂家。

4. 制造

制造过程是产品实体形成过程,制造过程的质量管理主要通过控制影响产品质量的大大因素,即操作者的技术熟练水平、设备、原材料、操作方法、检测手段和生产环境来保证产品质量。

5. 检验

制造过程中同时存在着检验过程。检验在生产过程中起把关、预防和预报的作用。把关就是及时挑出不合格品,防止其流入下道工序或出厂;预防是防止不合格品的产生;预报是将产品质量状况反馈到有关部门,作为质量决策的依据。为了更好地起到把关和预防等作用,同时要考虑减少检验费用,缩短检验时间,因此,要正确选择检验方式和方法。

6. 销售

销售是产品质量实现的重要环节。销售过程中要实事求是地向用户介绍产品的性能、用途、优点等,防止不合实际地夸大产品的质量,影响企业的信誉。

7. 服务

抓好对用户的服务工作,如提供技术培训、编制好产品说明书、开展咨询活动、解决用户的疑难问题、及时处理出现的质量事故。为用户服务的质量影响着产品的使用质量。

二、实现全面质量管理

(一)船舶建造质量标准

船舶产品是订单式的,每一艘船都有其特定的任务,这就决定了船舶是极具个性的。实际上,船舶产品首先由船东提出所需求,同时船舶产品必须满足船级社的规范要求,而船厂又有其自身的建造规范。所以,船厂在对船舶进行设计制造之间,必须与船东和船级社就建造质量标准达成一致,以免建造完工后产生不必要的纠纷。

船舶建造质量只需达到或少量超出质量标准的要就即可。"没有最好,只有更好"的质量理念并不适合船舶产品。一般说来,在质量标准以外过分地追求高质量固然会使船舶产品的使用性能提高,但这种提高实质上是一种质量剩余,是一种浪费,而建造成本却成几倍地上涨,这是船东和船厂都不乐见的。

(二)人员培训

公司对新进人员安排组织培训。培训主要有两个目的:一是让员工认识到船舶建造的任何一个细小方面达到何种要求才满足质量标准的要求,当然也要求员工避免质量剩余也就是让员工具有自我检查的素质。二是使员工具有使任何一个细小方面达到质量标准要求的技能,船舶建造主要依靠员工去做。人员具备了能做和能自我检查的能力后再上岗,就会减少返工率,提高产品达标准率,也减少了成本。

(三)全面质量管理活动

全面质量管理是以成组技术为基础的。成组技术改变了船厂的生产方式,生产组织体制也随之改变,出现了产品导向型组织。这种组织按照中间产品的类型组建相应的生产班组,以班组为单位制造某类产品,按质、按量、按时、按照预算独立完成该项产品的制造,然后将其作为一项完整的产品提交给下一相关生产班组。这种生产班组正是执行全面质量管理的最基本单位。

我国造船工业的全面质量管理活动萌芽于20世纪60年代初,20世纪70年代末至80年代初船厂开始建造出口船后才全面开花结果。那时各厂相继成立全面质量管理小组,并将质量管理和精度管理相结合,保证了出口船的质量,同时也促进了一般船舶的建造质量的提高。

质量管理小组高度依赖于现代产品的组织形式,其特征是工人按中间产品类型划分小组。质量小组的活动与特定中间产品及其生产小组的职责完全一致,使其工作可达到按传统的功能系统组织的船厂所不能达到的深度和广度。

当船舶在运营过程中发生事故时,船厂应对设计、建造和售后服务承担责任,这已成为"产品责任"的目标。越来越多的产品责任争端并不局限于安全性问题,而是正在扩展到诸如污染等领域。一旦发生这类诉讼,则其对公司的经营将产生非常重要的影响,可能危及公司的生存。

满足既定的船级社规范已不能成为逃避产品责任的借口。液化天然气船、近海钻井平台之类复杂产品需要特别严格的质量标准,以满足业主的要求。而船厂的责任是设法将业主所提出的产品使用质量要求体现在产品中。因此,船厂必须以自己的意志和力量改革其现有体制,以对付这种新要求。船厂必须更新质量标准和传统的质量控制方法。为此必须考虑如下几点:

(1)质量是否针对客户的要求。

(2)给流水线下道工序造成生产问题的工位是否太强调了生产率。

(3)生产体制是否真能满足新的要求。

(4)日常生产管理中,是否正确地运用了"计划-实施-检查-对策"循环。

(5)采取的对策是否只当作权宜之计,有否制定防止问题复发的措施。

(6)目标的制订是否比问题的发生早一步。

要回答上述问题和其他类似问题,显然需要更科学的方法,以应对由激烈竞争所致的产品责任挑战。

对陈旧的方法作了审查、修改和补充,形成了全面质量管理运动。

(1)审查了小组的组成方式,使质量管理小组变成为生产线上特定工位所配置的实际生产小组。换句话说,小组按中间产品类型作专业化分工。

(2)审查目标的确立过程,开始将其贯彻到日常工作之中,以安全、巧干而不是苦干、提高效率等为目的。

(3)审查小组会议的举行和报告,减少文书工作。

(4)审查改进建议,重点是小组建议而不是个人建议。

(5)审查建议评价条例,优先考虑小组奖,以强调小组活动。

更具体地说,向全面质量管理方向转变时,采取以下措施:

(1)作为加强小组的一种方法,应该优先考虑小组如何解决问题,而不是考虑后果如

21世纪高职船舶系列教材

ERSHIYISHIJI GAOZHI CHUANBO XILIE JIAOCAI

何,小组能力提高后,可获得较高的分。例如,可获得优秀或良好等级。为了增强小组能力,各加工车间和装配工段可附带委托生产工程师或工长帮助和指导小组。

(2)过分重视小组集体建议可能会忽视个别建议提出人的作用,给士气带来负面影响。因此,要通过某种方式肯定个人建议的贡献。

(四)全公司全面质量管理

船厂开展全面质量管理的主要目标是建立一个真正的质量保证和质量管理体系。从狭义上说,则指提高整个造船部的质量,以取得业主的信赖。

过去,小组目标旨在实现车间目标。结果,大多数小组目标在于降低成本。这一运动导致小组的部分时间花在预算工时和实耗工时的比较上,从而忽视了改善工具、工作方法和质量。

为了纠正这种偏颇,尔后就将目标转向提高精度,从而也就间接地降低了成本。为了促进和加快这一运动,与小组讨论了目标转变问题。通过讨论,人们认识到,为了在生产第一线贯彻高层管理部门的政策,中层管理部门的干预必须加强。同时还认识到,为了控制质量必须用更加科学的管理方法来代替传统的方法。

科学方法是指数据的获得、分析和处理,根据处理结果用图表找出趋势,抓住问题的症结,觅求补救方法,以及解决问题。这种方法是恢复整个公司活动所不可缺少的。

小组活动为组织增加了一条信息渠道。除了传统的管理部门自上而下的命令外,质量管理小组创造了一条来自工人的由下而上的信息反馈线。因为现场工人最知道工作情况,所以他们愿意设法改进生产。管理部门和管理人员应作为顾问和指导员参加这项活动。

全面质量管理的另一个目标是提高全体职工参加公司管理的自觉性。这要求每个部门每个工人共同参与,充分利用他们的集体智慧和特长。具体地说,各部门的经理应该根据上级管理部门的政策制订本部门的目标和实现目标的切实措施。这也要求每个工人采取科学方法和科学地思考。为了达到既定目标,工人须彻底地检查车间,确定何处存在问题,并制定自己的改进目标。

总的来说,全面质量管理的目标是全体职工参加管理、保证生产质量、提高工作质量、有组织地开展活动。

根据上述目标,全面质量管理就是产品的质量、成本和交货期各项都能满足客户要求的生产过程。同时,全面质量管理还包括提高和稳定工作质量水平,以及使工作处于受控状态的各项活动。换句话说,全面质量管理是全体职工参加的改进工作的综合活动,其目的是以质量保证为中心,提高管理和控制的整体水平。要做到这些,必须应用科学方法,提高当前技术水平,不断促进小组活动。

在造船工作部,应强调以下几点:

(1)使每个人都懂得以科学思想和方法为依据的管理和控制技术。

(2)在组织中牢固树立下道工序是重要的"用户"的意识。

(3)用PDCA循环法(计划-实施-检查-对策)最大限度地推行质量管理。

传统的质量管理方法常受到公司历史、社会环境的影响,而管理部门难以对它们施加影响。因此必须掌握一种科学的质量管理方法。下列问题有助于抓住科学方法的要点。

(1)是否正确地运用了PDCA管理循环,是否只记住制订计划而忘记了检查和行动,使质量控制变成从计划到计划,或者只有行动而没有明确的计划,变成没完没了从执行到执行的循环。

(2)是否重视有价值的经验,将得到的教训转变成为标准。

(3)年度目标中是否正确地运用了 PDCA 循环,如果在实施中发现问题,是否通过审查目标和方法而得到解决。

(4)日常工作中的失误是否采用权宜之计来补救,是否对失误做过调查,以防止再发。

当前,造船工作部应该动员全体职工开展全面质量管理,以使全面质量管理的原理变成职工的常识,全面质量管理是更新产品质量和工作质量概念的唯一方法。

(五)全面质量管理的组织及各部门作用

1. 全面质量管理组织

质量保证和质量管理需要有组织有计划地开展活动,以满足用户对各类产品的要求。因此,各部门的总部设立质量保证科,而质量管理科则设在产品制造车间。销售和基本设计由厂部负责。由于厂部和生产车间保持紧密联系,因此在销售、计划、设计、生产和售后服务各阶段都能对质量进行妥善管理。厂部质量保证科以参谋的资格向总经理汇报工作,同时参与制订政策,并在建立、运用以及完善船厂的质量保证机构过程中发挥作用。

各船厂的质量管理科领导质量管理工作,包括从生产设计、生产直到保修期整个过程中的检查工作。保修期满后它负责售后服务,以完成质量保证工作。因而,质量保证科在船厂总经理的领导下规划和完善全面质量管理活动,而质量管理科对生产现场的全面质量管理活动进行规划和完善。

2. 管理部门的作用

管理部门的工作就是通过工人将领导思想具体化,并挖掘、培养和提高工人的能力。小组活动是发挥人们聪明才智的好方法,因此管理部门应不惜时间去提高他们的能力,并为下属创造一种充分发挥才能的环境和机会。

(1)促进小组活动发展。管理人员必须高度重视小组活动,并排除活动发展的障碍。

(2)在制定小组活动政策和目标时,必须明确政策和目标的内容,希望质量管理小组活动解决哪些重大问题。

(3)必须正确评价小组活动。这种活动不仅只为了改进工作,其重要性还在于解决问题的过程和它的潜力,因此必须全面地加以评价。

(4)管理部门应该定期参加小组日常会议,以便了解组员是否真正参与管理,对于工作的进展是否满意,等等。

中级管理部门必须明确知道自己的作用,将上情下达,并将质量管理小组活动的情况向上汇报。这就意味着中层管理人员必须同下属保持工作关系,以便在制定奋斗目标和提出改进建议时,能得到小组的全部资料。

3. 质量管理实施办公室的作用

质量管理实施办公室的主要作用是协助船厂总经理促进厂内质量管理小组活动,协调厂外全面质量管理活动。

(1)编制改进计划、项目计划、质量管理小组和全面质量管理活动的预算等。

(2)编制培训计划,如举办学习班,选择建材等。

(3)编写质量管理小组或全面质量管理活动的指导手册、文件、表格等。

(4)记录统计数据,作报告、保管奖励申请资料等。

(5)出版船厂的质量管理杂志,准备广告标语、宣传画等。

(6)处理各车间、小组所提的意见等。

(7)规划和主持质量管理活动交流会、现场会等。

（8）协助上级管理部门诊断小组活动存在何种问题等。

（9）当小组长的顾问，帮助他们确定目标，编写报告等。

4. 实施办公室人员的素质要求

（1）具有坚强的信念，工作积极主动。

（2）具有编制计划、表达观点、说服人们的能力。

（3）对争论的问题有准确的判断能力。

上级管理部门的诊断旨在从公司全局出发评价政策的下达和执行情况，以及取得了什么成果，并查明问题所在，若有必要，则通过调整政策来解决问题。通过诊断，管理部门以简明的审查报告向有关人员提供领导的评价。

5. 销售科的全面质量管理活动

销售科的业务往往难以预料，销售人员常常忙于解决具体问题而没有时间去计划和实施他们的工作。况且，他们通常还要在短时间内迅速作出决定，以应付市场需求的变化。销售工作的特点看起来与全面质量管理活动无关。然而，其中仍然有许多重复性的具体工作其效率可以提高。

销售科要有一个能适应市场的长期战略。因此，它有责任制定一项政策，以便选择和决定销售何种产品及其销售方式。因此，销售科的全面质量管理的目的是检查每个人的工作，调查市场形势的变化，客户的要求和竞争者的动态等，同时努力分析和找出公司的优缺点，确定加强公司地位的最佳方针和任务。

为了开发新产品以满足未来的市场需求，把市场调查结果反馈给基本设计（初步设计和详细设计）部门，这是销售科的重要作用之一，尤其在经济增长的环境中，"市场观念"非常重要。应该努力保持同客户的接触，以了解他们的需求，并推出新产品去满足这些需求。这就要求销售人员参与未来客户的计划工作，帮助他们分析和设计船舶或非船产品的各种方案。

因此，最高管理部门对销售科的政策是要通过小组活动对下列问题开展讨论并得出结论。

（1）为选择战略性的产品而作进取性的调查研究。

（2）精确分析市场趋势和需求，以及如何评价所收集的数据。

（3）编写标准化销售工作指导手册，以便将较多的时间用于计划和实施计划。

（4）分析预算成本与合同价格和实际完工成本之间的关系，以便为今后的项目制定销售方针。

6. 基本设计（初步设计和详细设计）科的全面质量管理活动

基本设计科的工作成就只有在船舶、海洋结构物等产品建成并使用一段时间后才能体现出来。它必须与销售科一起开展工作，经常掌握用户和市场的需求，开发能满足这类需求的产品。

基本设计科提高工作效率的目标如下：

（1）减少因设计不当而致的保修费用。

（2）运用价值工程降低产品成本，加强竞争能力。

（3）提高设计质量，赢得用户的信任。

（4）促进设计合理化，使设计更合逻辑性。

（5）提高改进建议的质量，并在设计中加以体现。

(6)提高报告的准确性,并在每个项目的早期完成主要材料表。

从基本设计到最终产品投入使用需要多年时间,于是完成 PDCA 循环、建立完善的设计准则及标准也需要多年时间。因此,基本设计科的全面质量管理不由个人,而是必须从整个组织上实现系统化,以保持分析的连续性。

7.生产设计科的全面质量管理活动

船厂的生产设计科介于基本设计科和生产车间之间,它的责任是提供详细资料和指导文件,使生产人员能以合理的成本按规定的质量要求按期交船。设计人员应将其他人员视作用户,经常为船东、生产者和船员着想。

因此,设计人员必须彻底分析关于船舶运行情况的反馈资料,发现问题后,找出适当的解决方法,以实行质量保证或提高未来产品的质量。这显然是全面质量管理中的 PDCA 循环。

8.生产管理科的全面质量管理活动

生产管理科的任务是保证船厂的生产活动正常进行和制订提高生产率的各种合理化方法。下面是应当优先考虑的全面质量管理的方法:

(1)检查现行的生产过程是否最能满足用户、供应商及分包商的要求;

(2)着重收集各条生产线上下道工序的数据;

(3)应确信事实是解决重复出现的问题的基础;

(4)经常运用 PDCA 循环法,迅速地处理所揭示的问题。

9.加强对分包商和供应商的指导

因为全面质量管理是包括整个制造系统的运动,所以它还须包括分包商和供应商。由于这些厂商各具特点,为了贯彻全面质量管理的各项措施,必须对它们加以指导。

(1)使供应商和分包商了解为何为谁实施全面质量管理活动。

(2)在质量问题上不能迁就分包商。应对他们进行指导,使其质量符合船厂要求。

(3)使分包商和供应商知道全面质量管理活动的目的是根据事实详细查清问题。

(4)因为全面质量管理活动以参与和对话为基础,所以应鼓励供应商和分包商直抒己见。

(5)即使他们的目标和成就较小,但应对他们的努力给予明确的肯定。

(6)为了减少工时,应最大限度地减少管理数据和资料,省去那些可有可无的数据和资料。

10.质量管理科的全面质量管理活动

质量管理科的作用是会同技术、生产、生产管理和销售等部门制订质量管理计划,并将这一计划落实到每艘船的建造计划中。质量管理计划的目的是为每艘船制订一个各部门都能实施的质量标准。因此,质量管理科的全面质量管理活动是从用户要求的角度进行质量检查,并向有关部门、供应商和分包商提供反馈信息。每个工位或工序都要评定产品等级,并立即反馈,以便在其后的工作中采取改进措施。因此要不断地运用 PDCA 循环法,以便在尽可能短的时间内使质量符合要求。另外,如果供应商,尤其是分包商在质量自检时失察,以致次品影响船舶整体质量时,则必须重新审查质量管理规程。

11.生产车间的全面质量管理活动

生产车间全面质量管理活动的基本作用是正确地、如期地完成日常工作。在生产中,全面质量管理是一项涉及一切工序的综合性改进运动。所采用的措施包括管理政策、质量管理方法、统计分析等。更新思维方法,加强理解能力,面对问题时能迅速反应,这一切都是必

需的。管理人员尤应到生产现场进行日常检查,以发现可能的改进之处,从而达到事半功倍的目的。

生产人员通常要解决许多进度、工艺过程、精度、材料利用率、工时或能源利用等有关问题。不管什么问题,生产车间中常用的全面质量管理原理如下。

(1)改进管理原则 管理人员应该制订和控制自己的目标,制订达到目标的具体计划,并经常按照 PDCA 循环思考问题。车间主任必须有解决问题的紧迫感,并且有一个掌握生产情况、找出问题根源以及实施最佳解决办法的工作体系。

(2)生产工艺 为了以较低的成本建造出高质量的船舶,并按期交船,必须根据建造前或建造后所遇问题的反馈信息,精心地做好施工前的生产工艺工作。

(3)审查系统 不管政策或目标如何妥善,要对付和控制每项细节是不可能的事。为了不断地提高质量水平和达到最终质量指标,需要有一个审查系统。审查系统应不受人员调换的影响,以能经常地应用 PDCA 循环。这个系统应积累新的数据,本身应不断完善。

(4)数据控制系统 生产现场的管理和控制应该以数据和各种工作手册为基础,重要的是管理人员必须知道如何使用数据和如何将数据与工作相联系。在一个长期系统中,数据能否有效的利用,取决于管理部门所订的目标和图表的完备程度。

(5)小组活动 在许多工人的日常工作中可发现不少意外损失和需改进的问题。但是查找问题和制订改进计划的方法往往是不完善的。只要有效地运用全面管理技术,可望获得许多改进建议。

(六)造船全面质量管理的意义

全面质量管理的基本原理是使上自上层管理人员,下到工人,人人参与质量管理活动,包括销售、设计、材料管理和生产,以满足用户日益多样化和高级化的需求。在全公司范围内开展质量管理活动,会给公司带来许多好处,如:改进和稳定产品质量,提高生产率,增强公司的竞争能力,促进标准化以及提高职工的纪律性。

此外,通过全面质量管理,还可使传统的多少带有主观意见的管理和控制方法逐渐改变为更强调数据分析、更合理的科学管理方法。这样,管理部门就能为工人提供更为精确而具体的指导,从而取得更好的结果。质量管理小组最初旨在改进制造系统,但在改善制造系统的同时却发现还能提高质量、降低成本、改善人际关系以及取保安全等,这些都是不能忽视的。虽然劳工政策没有体现珍惜人命和尊重人格的思想,但是这种思想却是开展质量管理的基本精神。因此,应该根据质量管理小组对生产小组在研究和分析问题方面的影响,以及对小组在扩大和提高管理能力方面的影响来评价质量管理小组。另外,通过质量管理小组活动,职工中的参与意识和自觉精神蔚然成风。质量管理小组作为管理的起点提高了人们参加小组活动和相互合作的自觉性。在促进全面质量管理活动中,最重要的是分析确立何种目标或目的,以及采用何种方法最有利于公司的经营。实践证明,当着重考虑这些问题时,全面质量管理活动能够取得很大的成功。

1.质量管理小组的目标

(1)提高生产第一线管理人员的领导和管理能力。

(2)鼓舞生产工人的士气,提高他们的参与意识及解决问题的自觉性。

(3)培养防止问题重复发生和使供需标准化的能力,以及确定检验和管理方法等。

(4)与上下道工序的小组一起,应用质量管理具体方法解决问题。

(5)培养不断发现问题和改进管理的自觉性。

2.质量管理小组的工作重点

（1）运用质量管理思想方法找出并解决隐藏的问题,对全体人员进行质量管理教育。

（2）公开隐藏的问题,让各级人员从不同角度进行分析。

总的来说,开展全面质量管理的好处是安全记录好;质量好、索赔少;职工的成本和质量意识高;职工渴望学习,并提出许多改进建议;管理人员和工人之间关系良好;职工对工作更感到自豪和自信。

第三节　质量管理体系

为了适应国际市场竞争的需要,国际标准化组织(ISO)于 1987 年发布了 ISO9000《质量管理和质量保证》系列标准,从而使世界质量管理和质量保证活动统一在 ISO9000 系列标准基础之上。它标志着质量体系走向规范化、系列化和程序化的世界高度。

目前世界上已有 60 多个国家和地区等同或等效采用 ISO9000 系列标准,力求使本国的质量体系、认证制度能获得世界的普遍承认。中国是国际标准化组织的成员国,在 1992 年 5 月召开的"全国质量工作会议"上,决定等同采用 ISO9000 系列标准,以双编号的形式 GB/T19000—ISO9000发布了系列标准,从 1993 年 1 月起实施。这就适应了我国企业参与国际市场竞争的需要,为管理者实施质量取胜战略提供了可操作性的质量目标,促使企业质量体系认证向国际化发展。

ISO9000 系列标准是推荐标准,不是强制执行标准。但是,由于国际上独此一家,各国政府又予以承认,因此,谁不执行谁就无法在国际市场站稳脚跟。国际贸易、产品开发、技术转让、商检、认证、索赔、仲裁等方面,它成为国际公用的标准。在这种情况下,积极采用 ISO9000 系列标准就成为对世界级企业的基本要求。为此,要了解 ISO9000 系列标准的组成及其主要内容,了解质量认证工作的含义、意义和基本程序。

一、ISO9000 系列标准的组成

ISO9000 系列标准是知道企业建立质量保证体系的标准,是有关质量的标准体系的核心内容,具体包括:

ISO9000—1《质量管理和质量保证标准 第一部分:选择和使用指南》

ISO9001《质量体系——设计、生产、安装和服务的质量保证模式》

ISO9002《质量体系——生产、安装和服务的质量保证模式》

ISO9003《质量体系——最终检验和试验的质量保证模式》

ISO9004—1《质量管理和质量体系要素 第一部分:指南》

ISO9000—1 常被看成 ISO9000 系列标准的"导游图",它帮助生产者和用户两方面理解 ISO9000 系列标准的真正含义,对主要质量目标和质量职责、受益者及期望、质量体系要求和产品要求的区别、通用产品类别和质量概念的若干方面等问题作出了明确的解释,并提供了关于这些标准的选择和使用的原则、程序、方法。因此,在具体应用这些标准时,首先应对 ISO9000—1 进行研究,然后根据不同的需要选择不同类型的标准。

二、ISO9000 系列标准的主要内容

ISO9000—1《质量管理和质量保证标准 第一部分:选择和使用指南》。该标准阐明基本

21世纪高职船舶系列教材
ERSHIYISHIJI GAOZHI CHUANBO XILIE JIAOCAI

质量概念之间的差别及其相互关系,并为质量体系系列标准的选择和使用提供指导。这套标准中包括了用于内部质量管理目的标准 ISO9004 和用于外部质量保证目的的标准ISO9001 ~ ISO9003。

ISO9001《质量体系——设计、生产、安装和服务的质量保证模式》规定了对质量体系的要求,用于双方所订合同中需方要求供方证实其从设计到提供产品全过程的保证能力。该标准阐述从产品设计/开发开始,直至售后服务的全过程的质量保证要求,以保证在包括设计/开发、生产、安装和服务各个阶段符合规定要求,防止从设计到服务的所有阶段出现不合格现象。ISO9001 特别强调对设计质量的控制,因为产品的质量水平和成本有 60% ~ 70% 是在设计阶段形成的。

ISO9002《质量体系——生产、安装和服务的质量保证模式》阐述了从采购开始,直到产品交付使用的生产过程的质量保证要求,以保证在生产、安装阶段符合规定的要求,防止以及发现生产和安装过程中的任何不合格,并采取措施以避免不合格重复出现。它是用于外部质量保证的三个涉及质量体系要求的标准中要求程度居中的一个标准,适用于需方要求供方企业根据质量体系具有对生产过程进行严格控制的能力的足够证据的情况。

ISO9003《质量体系——最终检验和试验的质量保证模式》是用于外部质量保证的三个系列标准中要求最低的一个标准。它阐述了从产品最终检验至成品交付的成品检验和试验的质量保证要求,以保证在最终检验和试验阶段符合规定的要求,查出和控制产品不合格项目并加以处理。它适用于用户要求供方企业根据质量体系具有对产品最终检验和试验进行严格控制能力的足够证据的情况。

ISO9004—1《质量管理和质量体系要素 第一部分:指南》这个标准是指导企业建立质量管理体系的基础性标准。它就质量体系的组织结构、程序、过程和资源等方面的内容,对产品质量形成各阶段影响质量的技术、管理个人等因素的控制提供了全面的指导。标准指出,为了满足用户的需求和期望,企业应该建立一个有效的质量体系,而完善的质量体系是在考虑风险、成本和利益的基础上使质量最佳化以及对质量加以控制的重要管理手段。该标准从企业质量管理的需要出发,阐述了质量体系原理和建立质量体系的原则,提出了企业建立质量体系一般应包括的基本要素。标准对各基本要素的含义、目标、要素间的接口,以及各项活动的内容、要求、方法、人员和所要求的文件、记录等,都做了明确规定。

三、质量认证

质量认证包括产品质量认证和质量体系认证等。产品质量认证是依据产品标准和相应技术要求,经认证机构确认并通过颁发认证证书和认证标志来证明某一产品相应标准和相应技术要求的活动。质量体系认证通常是通过国家或国际认可并授权、具有第三方法人资格的权威认证机构来进行。

四、质量体系认证的趋势和特点

1.质量体系认证的依据是 ISO9000 系列标准或其等同标准。目前,各国开展质量体系认证,均趋向采用 ISO9000 系列标准,以利于质量体系认证工作的国际间统一交流与合作。这也正是国际标准化组织所提倡的。

2.审核的对象是供方的质量体系。产品质量认证与质量体系审核,主要是产品形成试验加上对工厂质量体系的审核。质量体系认证范围往往与所申请认证的产品有关。

3. 供方选择资信度高、有权威的认证机构审核。一般都选择世界上先进工业国家中历史悠久、有影响的独立的第三方认证机构,如英国的 BSI(英国标准协会)、劳氏船级社、美国的 UL 等。

4. 单独的质量体系认证采取注册、发给证书和公布名录的方式。这是审核单位已通过质量体系认证的有效证明,能扩大获证单位的社会影响。

ISO9000 系列标准认证有 8 个步骤:

(1)对照 ISO9001 ~ ISO9003 标准,评估现有的质量程序。

(2)确定改进措施,以使现有质量程序符合 ISO9000 系列标准。

(3)制定质量保证计划。

(4)确定新的质量程序并形成文件,实施新程序。

(5)制定质量手册。

(6)评估前与注册人员共同分析质量手册。

(7)实施评估。

(8)认证。

五、质量认证对企业管理的意义

成功企业的经验表明,推行质量认证制度对于有效促使企业采用先进的技术标准、实现质量保证和安全保证、维护用户利益和消费者权益、提高产品在国内外市场的竞争能力,以及提高企业经济效益,都有重大意义。

1. 质量认证有利于促使企业建立、完善质量体系。企业要通过第三方认证机构的质量体系认证,就必须充实、加强质量体系的薄弱环节,提高对产品质量的保证能力。另一方面,通过第三方的认证机构对企业的质量体系进行审核,也可以帮助企业发现影响产品质量的技术问题或管理问题,促使其采取措施加以解决。

2. 质量认证有利于提高企业的质量信誉,增强企业的竞争能力。企业一旦通过第三方的认证机构对其质量体系或产品的质量认证,获得了相应的证书或标志,则相对其他未通过质量认证的企业,有更大的质量信誉优势,从而有利于企业在竞争中取得优先地位。特别是对于世界级企业来说,由于认证制度已在世界上许多国家,尤其是先进发达国家实行,各国的质量认证机构都在努力通过签订双边的认证合作协议,取得彼此之间的相互认可。因此,如果企业能够通过国际上有权威的认证机构的产品质量认证或质量体系认证(注册),便能够得到各国的承认,这相当于拿到了进入世界市场的通行证,甚至还可以享受免检、优价等优惠待遇。

3. 质量认证可减少企业重复向用户证明自己确有保证产品质量能力的工作,使企业可以集中更多的精力抓好产品开发及制造全过程的质量管理工作。

第五章 成本管理

船舶企业由于工程项目结构复杂,生产周期较长,成本过高,难以在激烈的市场竞争中占有优势地位。多数船舶企业引入成本管理,试图建立以市场为导向,基于经营报价制定企业目标并进行控制。多年来的实务表明,这种成本控制并没有达到预期目标,在多个成本控制环节上还存在问题:产品和工艺设计环节目标成本制订不合理,与市场及库存都有脱节现象;制造过程目标成本贯彻不力,材料、人工及设备加工费用有所失控;目标成本分析和控制方法不合理,分析资料失去进一步的作用。因此,针对船舶企业产品结构的复杂性和过长的生产周期,如何将造船成本进行有效的分析,并保证其激励性、约束性和有效性,成为船舶企业管理过程中迫切需要解决的问题。

本章介绍企业成本管理的基本理论,然后在分析造船成本的基础上,提出有效降低造船成本的方法和先进的制造方式。

第一节 企业成本管理与成本控制

所谓成本管理,是企业根据一定时期预先建立的成本管理目标,由成本管理主体在其职权范围内,在生产耗费发生以前的过程中,对各种影响成本的因素和条件采取的一系列预防和调节措施,以保证成本管理目标实现的管理行为。它包括成本预测、成本计划、成本控制、成本核算、成本考核和成本分析等六个环节。这些环节按成本发生的时间先后分为事前控制、事中控制和事后控制。事前控制进行成本预测和成本计划,对控制核算提出要求;事中控制进行成本控制和成本核算,为分析、考核提供依据;事后控制进行成本考核和成本分析,对预测计划提供信息。成本控制是成本管理的重要环节,也是企业全方位管理的最基本环节,其最终结果是给企业带来一定的成本效益。

成本控制的过程是运用系统工程的原理对企业在生产经营过程中发生的各种耗费进行计算、调节和监督的过程,同时也是一个发现薄弱环节,挖掘内部潜力,寻找一切可能降低成本途径的过程。科学地组织实施成本控制,可以促进企业改善经营管理,转变经营机制,全面提高企业素质,使企业在市场竞争的环境下生存、发展和壮大。

一、成本管理的对象

成本管理对象是与企业经营过程相关的所有资金耗费。既包括财务会计计算的历史成本,也包括内部经营管理需要的现在和未来成本;既包括企业内部价值链内的资金耗费,也包括行业价值链整合所涉及的客户和供应商的资金耗费。

成本管理的对象最终是资金流出。但是具体到每个企业的成本管理系统,成本管理的对象还是有所不同。传统的简单加工型小企业的成本管理仅限于进行简单的成本计算,其成本管理对象也就限定在企业内部所发生的资金耗费。而自身处于激烈竞争的大型企业为赢得竞争,必须关注企业的竞争对手和潜在的所有利益相关者,因此其成本管理对象也就突破了企业的界限,凡是和企业经营过程相关的资金消耗都属于成本管理的范围。

二、成本管理的目标

成本管理的基本目标是提供信息、参与管理,但在不同层面又可分为总体目标和具体目标两个方面。

(1)成本管理的总体目标是为企业的整体经营目标服务,具体来说包括为企业内外部的相关利益者提供其所需的各种成本信息以供决策和通过各种经济、技术和组织手段实现控制成本水平。在不同的经济环境中,企业成本管理系统总体目标的表现形式也不同,而在竞争性经济环境中,成本管理系统的总体目标主要依竞争战略而定。在成本领先战略指导下成本管理系统的总体目标是追求成本水平的绝对降低,而在差异化战略指导下成本管理系统的总体目标则是在保证实现产品、服务等方面差异化的前提下,对产品全生命周期成本进行管理,实现成本的持续性降低。

(2)成本管理的具体目标可分为成本计算的目标和成本控制的目标。成本计算的目标是为所有信息使用者提供成本信息。包括外部和内部使用者提供成本信息。外部信息使用者需要的信息主要是关于资产价值和盈亏情况的,因此成本计算的目标是确定盈亏及存货价值,即按照成本会计制度的规定,计算财务成本,满足编制资产负债表的需要。而内部信息使用者利用成本信息除了了解资产及盈亏情况外,主要是用于经营管理,因此成本计算的目标即通过向管理人员提供成本信息,借以提高人们的成本意识,通过成本差异分析,评价管理人员的业绩,促进管理人员采取改善措施;通过盈亏平衡分析等方法,提供管理成本信息,有效地满足现代经营决策对成本信息的需求。

成本控制的目标是降低成本水平。在历史的发展过程中,成本控制目标经历了通过提高工作效率和减少浪费来降低成本,通过提高成本效益比来降低成本和通过保持竞争优势来降低成本等几个阶段。到现在在竞争性经济环境中,成本目标因竞争战略而不同。成本领先战略企业成本控制的目标是在保证一定产品质量和服务的前提下,最大程度地降低企业内部成本,表现在对生产成本和经营费用的控制。而差异化战略企业的成本控制目标则是在保证企业实现差异化战略的前提下,降低产品全生命周期成本,实现持续性的成本节省,表现为对产品所处生命周期不同阶段发生成本的控制,如对研发成本、供应商部分成本和消费成本的重视和控制。

三、成本管理内容

成本管理是由成本规划、成本计算、成本控制和业绩评价四项内容组成。成本规划是根据企业的竞争战略和所处的经济环境制定的,也是对成本管理做出的规划,为具体的成本管理提供思路和总体要求。成本计算是成本管理系统的信息基础。成本控制是利用成本计算提供的信息,采取经济、技术和组织等手段实现降低成本或成本改善目的的一系列活动。业绩评价是对成本控制效果的评估,目的在于改进原有的成本控制活动和激励约束员工和团体的成本行为。

四、成本管理的功能

随着环境条件的变化,成本管理系统的功能也在发生变化。但总的来说,成本管理主要有三项功能,为定期的财务报告服务,计算销售成本和估计存货价值;估计和预测作业、产品、服务、客户等成本对象的成本;为企业提高业务效率、进行战略决策提供经济信息和反馈。

第二节　造船成本分析

造船成本主要分为人工成本和物资成本。船厂可以把每一个作业阶段看成是一个作业区分。从成本管理的角度来分析,不同作业区分之间的成本构成是有很大区别的。比如,大量的材料成本在钢材加工阶段材料出库时已发生,后续作业阶段就没必要重复计算。船厂内有协力工人和直接工人的区分,他们之间的人工成本也是不同的。因此,我们必须按照价值对象的不同来分别统计分析一个作业区内不同的成本构成,这里的价值对象可以按照成本来源的不同分为物资供应商、外协合作厂家、厂区内协力工、船厂直接员工、固定资产折旧及其他,等等。这样,我们就可以按照作业区分和价值对象的不同,来建立船厂成本分析的模型。

比如,某船厂将该厂的生产作业活动按造船工艺流程分成17个作业区分(见表5-1),并通过统计数据的分析,将这17个作业区分,按照物资供应商、外协合作厂家、厂区内协力工、船厂直接员工、固定资产折旧和其他6个价值对象按实际发生的成本比例进行成本的分析和管理(见表5-2)。表5-2记录了该船厂一艘常规商用标准系列船型作业区分的成本分解数据,完全代表了该船厂造船的成本数据结构。全表总计之和是1 000分,代表了这艘船舶100%的制造成本,表中每一格的数据代表了在成本中所占的比例。

表5-1　某船厂造船作业区分

造船作业区分			
1	材料设备采购	10	分段预舾装
2	库存管理	11	总段舾装
3	板材加工	12	船上安装
4	弯曲成型	13	涂装
5	部件/构件组装	14	系泊试验
6	分段合拢	15	下水
7	总段合拢	16	交船
8	船体合拢	17	售后服务
9	单元舾装		

表5-2　某船厂作业区分成本分解

价值对象 作业区分	物资 供应商	外协合 作厂家	厂区内 协力工	船厂直 接员工	固定资 产折旧	其他	合计
	a	b	c	d	e	f	g
材料设备采购				8	1	5	14
库存管理	2			8	2	8	20
板材加工	93	6		10	2	4	115
弯曲成型	20			4	1	1	26

表 5-2（续）

价值对象 / 作业区分	物资供应商	外协合作厂家	厂区内协力工	船厂直接员工	固定资产折旧	其他	合计
部件/构件组装	8	6		20	1	11	46
分段合拢	3	12		27	2	14	58
总段合拢	26	33		11	1	6	77
船体合拢		6		30	2	17	55
单元舾装	6	6		3	1	2	18
分段预舾装	8	5	15	2	2	1	33
总段舾装	3		8	2	1	1	15
船上安装	353	18	32	28	3	22	456
涂装	12		25		1	2	40
系泊试验	2			8	1	6	17
下水				2		1	3
交船				2		1	3
售后服务	3					1	4
总计	539	92	80	165	21	103	1 000 100% 成本

一、船厂内部生产成本分析

将船厂内部生产成本 c、d、e、f 四项相加,合计为全部成本的 36.90%。其中 f 是船厂内部生产成本的一部分,包括各项生产辅助费用及费用摊销。具体计算如下所示。

c:厂区内协力工　　　8.00%

d:船厂直接员工　　　16.50%

人工合计:24.50%

e:固定资产折旧　　　2.1%

f:其他　　　10.3%

内部成本总计:36.90%

表中还可以看到人工成本占船厂内部生产成本的 66.40%。可见该船厂的人工成本相当高。一般情况下,船厂的人工成本占内部生产成本应该有一个相对固定的比例,如果大于这一固定比例,就表示船厂生产成本的控制处于不稳定状态。国内船厂的人工成本一般占内部成本的 40%~50%,而国内最好船厂的人工成本约占内部成本 20% 左右。

这 36.90% 的内部生产成本是船厂生产增加值的重要组成部分,而生产增加值是船厂产生经济效益的源泉。只有在生产增加值消化了船厂内部的各项费用后,如营业、管理、财务、船厂内部生产成本以及其他各种费用摊销等,才能产生利润。因此,内部生产成本占生产增加值的比例是非常重要的指标。如果内部生产成本比例太大,船厂消化其他费用的能力就差,利润水平就低。如果要提高利润水平,就必须增加销售收入,降低内部生产成本,或者双管齐下。

同样,船厂为提高生产效率,进行技术改造投资时,还要考虑降低人工成本。如果,技术改造投资完成后,人工成本降低滞后,就会直接影响船厂的利润水平。因为,投资会产生折旧、费用分摊和财务利息等。所以,技术改造投资必须要和人工成本降低的目标同时实施。

一般有三种情况会直接影响造船人工成本的变化。一是,生产设施的好坏。比如一个自动化程度较高的船厂的直接人工成本就会比较少。二是,采购数量的多少。造船成本的60%左右是由采购构成的,采购量越大,直接人工成本消耗就越低。比如,一个大而全、小而全船厂的人工成本消耗就一定比一个总装船厂的要大。三是,生产批量的大小。建造批量标准船型的人工成本消耗肯定要比首制新船型的要低。

二、外部采购/协作成本分析

a:物资供应商		53.90%
b:外协合作厂家		9.20%
c:厂区内协力工		8.00%
外部成本计:		71.10%

从表中可以得出这部分成本为71.10%,其中材料设备采购占整个项目成本的53.90%,说明物资采购和库存管理是船厂最重要的生产活动之。由于许多造船的主要材料和机电设备是非常市场化的商品,在国际市场上竞争非常激烈。由于受市场的制约,船厂面对市场的机会是均等的。因此,船厂很难在材料设备的采购成本方面有独特的竞争能力。船厂只能通过优化设计,降低设计成本,减少材料使用量,提高材料利用率,来降低采购成本。但是,对于现代造船来说,可以将一些生产批量较小、生产效率较低的舾装件,通过外协合作,分包给船厂周边一些更有生产优势的舾装件专业工厂去做,以获取更低的制造成本。这已逐步成为日韩和国内一些大船厂的一种生产趋势。一些船厂不但把小的舾装件分包出去做,如系缆桩、油水柜、机座机架、通风筒、烟囱、桅杆、舱盖等,而且还把涂装和内装分包出去,甚至把艏艉分段和上层建筑也分包出去。这样,船厂可以集中精力进行总装造船,利用更多的资源去扩大生产总量。因此,随着发展,今后外协合作厂家的成本比例有可能逐步扩大。同样,为了降低船厂直接的人工成本,船厂正在逐渐聘用更多的外部协力工或季节工。目前,国内一些船厂协力工完成的工时比例已经达到总工时数的50%左右,甚至更高。

三、重点作业区分成本分析

首先,看一下单项成本最大的前五项生产作业区分情况。从表5-2中列g看

1	船上安装	45.6%
2	板材加工	11.50%
3	总段制造	7.70%
4	分段制造	5.80%
5	船体合拢	5.50%
	前五项总计:	76.10%

对于这样的常规系列标准船型来说,成本最大前五项生产作业占全部成本的76.10%,就是扣除列a的材料设备采购成本,这五项作业区分的成本还占28.60%,可见这五项生产

作业是造船生产成本管理的重点。

		含 a	a	不含 a
1	船上安装	45.60%	35.30%	10.30%
2	板材加工	11.50%	9.30%	2.20%
3	总段制造	7.70%	2.60%	5.10%
4	分段制造	5.80%	0.30%	5.50%
5	船体台拢	5.50%	0.00%	5.50%
前五项总计:		76.10%	47.50%	28.60%

再进一步仔细分析,船上安装和板材加工这前五项成本就占了全船生产成本的57.10%,其中物资和舾装件的外购外协成本就占了47.00%(35.30%＋1.80%＋9.30%＋0.60%),占物资供应商和外协合作厂家两项成本63.10%的74.48%。可见大量的外部采购成本都是在这两个作业阶段发生的。比如钢材、主机和各种大型舾装件都是在这两个作业阶段投入使用的,特别是钢材和主机这两项就占了大约一般商船成本的25%以上。

从前面已经知道人工成本在船厂内部的生产成本中占了很大的比重。现在我们再进一步分析前五项人工成本(厂区内协力工和船厂直接员工)的情况。前五项人工成本占全部制造成本的16.20%,占全部人工成本24.50%的66.12%。这表明这五个作业区分集中了人工成本创造的价值。因为造船是劳动力密集的行业,人工成本是造船竞争力的重要指标,因此需要管理层高度重视这五个作业区分的劳动力管理。

		含 c	d	不含 $c+d$
1	船上安装	3.20%	2.80%	6.00%
2	船体合拢		3.00%	3.00%
3	分段制造		2.70%	2.70%
4	涂装	2.50%		2.50%
5	部件/构件组装		2.00%	2.00%
前五项总计:		5.70%	10.50%	16.20%

第三节　工作测量

一、生产产品时间消耗的结构

船舶产品在制造过程中的作业总时间包括船舶产品的基本工作时间、设计缺陷的工时消耗、工艺过程缺陷的工时消耗、管理不善而产生的无效时间、工人因素引起的无效时间。

1. 船舶产品的基本工作时间

也称定额时间,指在船舶产品设计正确、工艺完善的条件下,制造产品或进行作业所用的时间。

基本工作时间由作业时间和宽放时间构成。所谓放宽时间是劳动者在工作过程中,因工作需要、休息与生理需要,需要作业时间给予补偿的时间。宽放时间一般用宽放率表示。

$$宽放率 = \frac{作业时间}{宽放时间}$$

宽放时间由三部分时间组成：

(1)休息和生理需要时间。由于劳动过程中正常疲劳与生理需要所消耗的时间,如休息、饮水、上厕所所需的时间。

(2)布置工作地时间。在一个工作班内,生产工人用于照管工作地,使工作地保持正常工作状态的文明生产水平所消耗的时间,例如交接班时间、清扫机床时间等。它是以一个工作班内所消耗布置工作地时间作为计量单位。

(3)准备与结束时间。在加工一批产品或进行一项作业之前的技术组织准备和事后结束工作所耗用的时间。不同的生产类型其生产准备与结束时间不同。准备与结束时间一般可通过工作抽样或工作日写实来确定。

休息和生理需要时间的确定,应进行疲劳研究,即研究劳动者在工作中产生疲劳的原因、劳动精力变化的规律,测量劳动中的能量消耗,从而确定恢复体力所需要的时间。

用能量代谢率表示作业过程中能量消耗的程度。能量代谢率的计算如下

$$能量代谢率 = \frac{作业时能量消耗量 - 安静时能量消耗量}{基础代谢量}$$

式中,基础代谢量为劳动者在静卧状态下维持生命所需的最低能量消耗量;安静时能量消耗量为劳动者在非工作状态,即安静状态的能量消耗,一般按基础代谢量的1.2倍计算。

上述公式中每一项的取值都是在同样时间范围内的能量消耗量。

能量代谢率划分为不同的级别,按照不同级别的能量代谢率确定相对应的疲劳宽放率。

宽放时间直接影响作业者一天的工作量及定额水平的制定,国外对此类时间的研究非常重视,将宽放时间作了更细致的分类。一般地说,宽放时间可分为四类。

作业宽放——作业过程中不可避免的作业中断或滞后,如设备维护、刀具更换与刃磨、切屑清理、熟悉图纸等。

个人宽放——与作业无关的个人生理需要所需的时间,如上厕所、饮水等。

疲劳宽放——即休息宽放。

管理宽放——非操作者个人过失所造成的无可避免的作业延误,如材料供应 、等待领取工具等。针对上述情况,制定各种宽放时间的宽放率。

2.无效时间

无效时间是由于管理不善或工人控制范围内的原因,而造成的人力、设备的窝工闲置的时间。无效时间造成的浪费非常惊人。以生产管理为例,超过必要数量的人、设备、材料和半成品、成品等的闲置与存放造成浪费,就会使生产成本提高,产生第一次浪费。人员过多,生产过程各环节不平衡,工作负荷不一致,导致奖惩不公,引起部分工人不满,进而怠工或生产效率降低等。企业管理者为了解决上述问题,增加管理人员,制定规章制度,最终浪费了人力、物力、财力,消耗了时间,形成恶性循环,这即为第二次浪费。最终造成劳务费、折旧费和管理费增加,提高了制造成本。这些浪费往往会将仅占销售总额10% ~20%的利润全部吃掉。若能消除上述两次浪费,减少无效劳动带来的无效时间损失,则十分有意义。在造船企业生产成本中,材料、人工费、管理费之和约占总成本的90%,减少生产过程中无效劳动的浪费是比较容易做到的,但利润提高一成就需营业额提高一倍,这将是十分困难的。因此,减少无效劳动、走挖掘企业内部潜力的道路是生产与运作管理的首要任务。

生产过程中由于无效劳动所带来的浪费归纳为以下几个方面：

(1)生产过程的浪费,整机产品中部分零件生产过多或怕出废品有意下料过多,造成产

品零件的不配套,积压原材料,浪费加工工时。

(2)停工等待的浪费。由于生产作业计划安排不当,工序之间衔接不上,或由于设备突发事故等原因。

(3)搬运的浪费。如由于车间布置不当造成产品生产过程中迂回搬运。

(4)加工的浪费。如加工过程中切削用量不当,引起时间浪费。

(5)动作的浪费。由于操作工人操作动作不科学,引起时间浪费。

(6)制造过程中产生的废品的浪费。

二、工时定额

工时定额,又称为标准工作时间,是在标准的工作条件下,操作人员完成单位特定工作所需的时间。这里标准工作条件的含义是指,在合理安排的工作场所和工作环境下,由经过培训的操作人员,按照标准的工作方法,通过正常的努力去完成工作任务。可见,工时定额的制定应当以方法研究和标准工作方法的制定为前提。

工时定额是企业管理的一项基础工作,其作用如下:

1. 确定工作所需人员数和确定部门人员编制的依据。

2. 计划管理和生产控制的重要依据。任何生产计划的编制,都必须将产品出产量转换成所需的资源量,然后同可用的资源量进行比较,以决定计划是否可行,这项工作称为负荷平衡。无论是出产量转换,还是可用资源的确定,都应当以工时定额为标准,这样的生产计划才具有科学性和可行性。此外,生产进度的控制和生产成果的衡量,都是以生产计划为基础的,从而也是以工时定额为依据的。

3. 控制成本和费用的总要依据。在造船企业中,人工成本在全部成本中占很大的比重。降低人工成本必须降低工时消耗,而工时定额是确定工时消耗的依据,从而也是制定成本计划和控制成本的依据。

4. 工时定额是提高劳动生产率的有力手段。劳动生产率的提高,意味着生产单位产品或提供特定服务所需劳动时间的减少。而要减少和节约劳动时间,必须设立工时定额,据以衡量实际的劳动时间,找到偏差,采取改进措施。

5. 制定计件工资和奖金的标准。在实行计件工资的条件下,工时定额是计算计件工资单价的重要依据,在实行奖金制度条件下,工时定额是核定标准工作量,计算超额工作量,考核业绩,计算奖金和进行赏罚的主要的依据。

通过工作测量法可以得到科学合理的工时定额。工作测量法常用的技术有测时法、预定标准时间法和工作抽样法等。

目前,较多的船厂为了节省人工成本,或多或少地采用了科学的作业方法,例如采用前道工序化、一人多机化、一人多能化、单人作业化等等。

第四节　物资成本管理

物资对船舶制造业是十分关键的输入。要制造产品,必须输入原材料。在船舶制造企业中,原材料和外购件的成本大约占产品成本的 60% ~ 70%。因此,物资管理对提高船舶企业的经济效益至关重要。

一、物资和物资管理

物资包括各种原材料、在制品、零部件和产成品。对船舶制造企业来讲,生产过程实质上是物料的转化过程。物料通过运输,从批发商流向零售商,再从零售商流向顾客。从原料供应到将最终产品送到顾客手中,往往要经过多种企业加工和各种处理过程,这些过程构成了一条供应链。从整体上考虑,船舶制造企业只是整个供应链的一部分。

从广义上讲,物资管理是对整个物料流管理的总称,包括采购、厂内运输、收货、生产物料的内部控制、厂内仓储、物料搬运、发货与分配、厂外运输、厂外仓储等环节的管理。从狭义上讲,物资管理是指对企业的物资输入部分的管理,包括采购、厂内运输、收货、物料搬运和厂内仓储。有时也用物流管理来描述物资输出部分的管理,如发货、分配、厂外运输和厂外仓储管理等。有时也用后勤管理来代表广义的物资管理。

二、物资消耗定额

物资消耗定额的制定和管理是物资管理的一项基础工作。要组织好企业的物资供应工作,就要弄清物资的需要量。物资的需要量是由产品的产量和物资消耗定额所决定的。物资消耗定额不仅是决定物资需要量的依据,而且是计算产品成本的依据。

(一)材料消耗的构成

对于船舶制造行业来说,物资的消耗主要是材料的消耗。材料消耗的构成包括以下三部分:

1. 构成产品或零件净重的材料消耗这是材料的有效消耗部分。
2. 工艺性消耗指产品或零件在加工过程中产生的消耗,如边角余料、切屑等。
3. 非工艺性消耗包括由于供应条件的限制所造成的消耗和其他不正常的消耗。

(二)物资消耗定额的制定

物资消耗定额应该先进合理。先进合理的消耗定额是在保证产品质量的前提下,大多数职工经过努力可以达到的消耗定额。

物资消耗定额可以分为工艺定额和供应定额。工艺定额包括产品或零件的净重和工艺性损耗。工艺定额通常由工艺部门制定。供应定额是在工艺定额的基础上,加上一定比例的非工艺损耗构成。供应定额通常由供应部门制定。供应定额一般由工艺定额乘上一个比例系数来确定。比例系数同该种物资的供应条件有关,也和企业的管理水平有关。系数的确定一般是根据经验和当时的供应条件。工艺定额是物资消耗定额的基础,供应定额是核算材料需要量的依据。非工艺损耗应该尽量减少,但在一定的供应条件和管理水平下还难以避免。

1. 制定物资消耗定额的基本方法

(1)技术计算法。对于机械加工企业,由设计人员按产品零件的形状、尺寸和材质计算出零件的净重。然后,由定额员按工艺文件确定工艺损耗部分,得出工艺定额。这种方法比较准确,但工作量大。对于产量较高或材料贵重的产品,通常采用这种方法。

(2)统计分析法。按以往同类产品物资消耗的统计资料,考虑到当前产品的特点和技术条件的变化,经过类比来制定物资消耗定额。这种方法较第一种方法简单,但不够精确。在产品设计还未完成时,常常需要申报材料需要量,这时可以用这种方法作粗略估计。

(3)经验估计法。根据技术人员和工人的经验,经过分析来确定物资消耗定额。这种

方法简单易行,但不精确。

2.物资需要量的确定

确定物资需要量的方法有直接计算法和间接计算法两种。

(1)直接计算法又称定额计算法,是用生产计划规定的产量乘以某物资的消耗定额,便得到该种物资的需要量。这种方法比较准确,应尽可能采用。但是,在编制物资采购计划时,企业的生产任务往往还没有最后确定,就不能用直接计算法。

(2)间接计算法又称比例计算法,是按一定的比例来估算某种物资的需要量。比如,每千元销售额的材料消耗量。

三、物资采购

由于原材料和外购零部件的价值占产品成本的份额相当大,采购活动就显得特别重要。

(一)采购活动的目标和责任

1.确定原材料和外购零部件的供应地区和厂家,对供应地区和厂家进行评价,并按企业的需要寻求新的供应厂家。

2.同供应厂家建立良好的关系,保证供货的质量、交货期和不合格品的退货和替换。

3.寻求新的原材料和产品以及供应商。

4.用与质量相匹配的价格购买物品,在考虑价格时同时还需要考虑使用成本。

5.开展降低成本的活动,进行价值分析、自制或购买研究、市场分析和长期规划;随时掌握企业所需物资的价格和可获性。

6.维持企业内各部门以及企业与供应商、潜在供应商的联系。

7.让企业高层经理随时掌握将影响企业盈利的采购费用和市场的变化。

(二)采购步骤

1.从各职能部门和库存管理部门获得对各种物资的需要量。

2.了解对各种物资的技术要求和等级。

3.按不同的供应商将物资分类编组。

4.对特定的物资进行招投标。

5.按质量、价格、交货期等进行评标。

6.选择供应商。

7.发出订货后,进行催货,掌握供货进程。

8.检查到货进度和质量情况。

9.随时记录价格、质量等信息,以便对供应商进行评价。

(三)多货源和单货源的优缺点比较

在采购活动中,选择供应商是十分重要的。供应商选择得合适,就能保证所供应的物资的质量和交货期,并能得到较合理的价格。一种物资可以从多个货源采购,也可以从单个货源采购。多货源和单货源的比较如表5-3所示。如果有多个供应商,则采购不到特定物资的风险性较小,供货的可靠性较高,讨价还价的余地和对物资技术规格的选择余地较大,但由于与多个供应商打交道,工作量较大,与供应商的关系较松散,供应商对长期合作的信心不足,责任心较弱。

表5－3　多货源与单货源比较

比较项目	多货源	单货源
风险性	小	大
供货的可靠性	高	低
讨价还价	余地较大	余地较小
采购工作量	大	小
供应商的责任心	弱	强
物资技术规格的选择余地	大	小
制造商与供应商关系	松散	紧密

选择供应商一般要考虑以下几方面条件。

1. 设备能力

了解供应商的设备能否加工所需要的零部件并保证质量。设备能力可以通过工序能力指数来衡量。

2. 质量保证

通过检查供应商的质量控制方法来确定。（1）是否进行入厂检查和由何处进行检查；（2）供应商是否进行统计质量控制；（3）供应商应用统计质量控制的情况；（4）在制品检查方法；（5）所采用的测量设备和工具；（6）处理拒绝采用的原材料的方法；（7）出厂检查和包装程序；（8）包装、检查和测试的方法。

3. 财务状况

通过调查供应商的财务状况，了解供应商承担市场风险的能力。一般可以检查（1）当前的资产负债情况；（2）库存周转率。

4. 成本结构

如果要选择一个长期合作的供应商，则需要了解供应商的成本结构。成本结构包括原材料、直接人工、管理费、销售收入、利润等。

5. 供应商的价值分析开展情况

制造企业如果愿意与供应商建立长期合作关系，则制造企业希望供应商不断改进管理，运用价值分析的方法不断降低成本。

6. 生产作业计划与控制

供应商采用的生产作业计划与控制方法对准时交货有重要影响，因此需要了解供应商的生产能力，计划、调度方法，能否与制造企业匹配等。

7. 合同执行情况

过去合同的执行情况可以反映供应商的信誉。

评价供应商是一项费时的工作，然而又是一件十分重要的工作。由于受日本企业准时生产的影响，当前的趋势是选择较少的供应商。

（四）价值分析

价值分析有助于降低采购物资的成本。价值分析要回答以下问题：（1）所采购的零部件的功能是什么；（2）这些功能是否必要；（3）能否找到能实现这些功能的标准零部件；（4）零部件的成本是多少；（5）还有什么替代品可以实现等价的功能；（6）替代品的成本是多少。

进行价值分析常常由一个包括工程技术人员、生产管理人员和采购人员的小组来完成。

（五）自制或购买分析

在组织生产的过程中，对某些零部件是自制还是购买，是一项重要决策，它会直接影响到产品或服务的质量和成本。为此，要进行自制或购买分析。进行自制或购买分析，要考虑以下因素：（1）零部件成本。如果在同样的条件下生产，自制零部件的成本比较低；因为它不包含供应厂家的利润、运费和管理费。但是，对于一些需要专门设备加工的少量零部件，只要能够购买，就不必自制，因为为了少量的零部件而购置昂贵的专用设备是不合算的。对于供应厂家来说，如果有多个用户需要同一种零部件，则可以大批量生产，成本就会降低。大量生产的零部件不仅成本比自制的低，而且质量高；（2）零部件的可获性。无处采购则只有自制；（3）零部件质量。供应厂家若不能保证质量，则只有自制；（4）设备和专门技术的可获性；（5）技术保密性。如果生产某种零部件需要专门的技术，目前这种技术不能扩散，则应该自制。

四、物料搬运

有效的物料搬运对提高生产效率、降低成本和保护零部件不受损伤是很重要的。在工厂里，物料的运动包括装卸、位移、加工、检验、仓储，最后为成品装运，这些都离不开各种装卸运输工具。物料在工厂内部的运动没有增加产品的使用价值，却增加了成本。因此，应该尽可能减少物料搬运。但由于生产过程必然在一定的空间范围内进行，物料在厂内的搬运是不可免的。最优的物料搬运量应该是保证完成加工的最低的搬运量。物料搬运量与工厂布置有关，工厂布置对物料搬运量有先天性的影响。在工厂布置已定的情况下，选择合适的物料搬运方法对降低成本、防止磕碰是重要的。

搬运费用和时间与工厂的选址和工厂布置密切相关。而工厂的布置就是在考虑各加工场所布置时要形成最佳的生产作业流水线，以保证中间产品的搬运量降到最低。生产作业流水线一般按厂区的形状、大小，物料的搬运和船舶制造的特点设置为"I"、"L"形或"U"形，不管是什么形状都是指中间产品的运动路线，也即从钢板堆场开始，钢板堆场一般设置在预处理车间边上，预处理后的钢板直接传送入切割线，切割后零件进入部件安装→组件安装→分段建造→总段建造→船台总装，确保一旦物料进入生产制造阶段就"不走回头路"，以达到节省搬运费用和搬运时间的目的。

搬运方式，因船厂产品的特殊性，有多种方式。具体根据中间产品的重量、形状、大小而定。例如在内装车间，从上道工序进入下道工序，可采用吊机；分段的移动可采用平板车；托盘的运送可采用叉车等。

五、仓库管理

仓库是存放物资的场所。仓库管理业务主要包括物资的验收入库、保管、发放和清仓盘点。

（一）物资的验收入库

物资验收入库一般要经过提货、验收、办理入库手续等过程。可以到供货单位或车站、码头去提货，也可以通过专用线直接将物资运到企业的仓库。提货工作应该做到准确及时、手续清楚、责任分明。

验收包括质量检查和数量点收。质量检查可以通过直观检查、量衡、化验或试用的方式进行。需要质量管理部门检查的，应该由该部门的有关人员负责。数量点收可以是全部点

21世纪高职船舶系列教材

ERSHIYISHIJI GAOZHI CHUANBO XILIE JIAOCAI

收,也可以抽点。验收不合格的不得入库,并将货物妥善保管,以便同供货单位交涉。只有当数量、质量和单据都验收无误之后,才能办理入库、登账、立卡等手续,并将入库通知单连同发票、运单一起送交财务部门。

(二)物资的保管

物资保管的基本要求是摆放科学、数量准确、质量不变、消灭差错。为此,要对物资的摆放进行编号,以便查找。中国企业创造的"四号定位"方法,是一项好经验。"四号定位"就是按库号、架号、层号、位号四个号决定某项物资的位置。这样便于发料、盘点、保管。为便于点数和充分利用空间,对物资要码垛。"五五化"码垛方法可以减少差错,便于点数,提高工作效率。

在物资保管过程中。按物资性能,分门别类进行维护保养,做好防锈、防尘、防潮、防震、防腐、防磨、防水、防爆、防变质、防漏电等十防工作。露天货场的物资必要时要遮盖。必须健全账卡档案。发现超储积压或缺货,要及时报告业务主管部门。

(三)物资的发放

把生产车间所需的物资及时、迅速、准确地发放出去,是仓库为生产服务的一项重要工作。限额发料制是一种科学的发放制度。这种发料制能及时掌握物资的库存情况和车间的用料情况,加强了计划性,既有利于生产,又降低了消耗,节约了物资。物资的发放可以有送料和领料两种形式。送料是由仓库按用料单位的计划送料上门,领料是由用料单位到仓库自行提货。送料方式比较好,可以简化手续,减少领料时间,便于供应人员掌握生产情况,加强物资管理。

(四)清仓盘点

由于仓库物资种类规格繁多,数量又很大,流动性也很大,要及时掌握物资的变动情况,做到账、卡、物相符,就要进行盘点。

盘点的内容是检查账面数与实存数是否相符,有无超储积压,物资有无损坏、锈蚀或变质。

盘点有经常盘点和定期盘点两种。经常盘点由仓库管理人员随时进行。定期盘点由供应部门和财务部门共同组织,定期进行。发现问题要查明原因和责任。对于超储积压物资要作出处理。

六、船舶企业科学物资管理模式——产品导向型

船舶企业物资的复杂性决定了企业库存模式的多样化。船舶企业曾经希望借助企业信息化,通过MRPⅡ(制造资源计划)手段建立一种追求最小库存甚至是零库存的物流模式。多年来的推行,证实了MRPⅡ确实能提高生产管理的效率,精确反映库存余额,但它在改善物资采购和减少库存方面的作用并不明显,这不是引入MRPⅡ的初衷。这种背离,主要是由我国船舶企业管理技术的现状和市场物资的流通方式引起的,它们是制约MRPⅡ发挥作用的两个关键因素。制造业发达的国家,通过建立集成制造系统和规范的供应链系统来解决物资管理的问题,但这些在我国还是薄弱环节,船舶产品的特点更决定了在企业内部难以建立起计算机集成制造系统。因此,船舶企业借助于信息技术加强物资管理,要结合国内市场的情况,改善物资采购模式,并在此基础上建立起相应的内部控制策略。

(一)导向型采购模式的含义和基本内容

导向型采购模式,是综合运用信息技术、先进物流管理思想建立起的一整套采购管理和

库存管理机制。通过导向型采购模式的建立,使物资采购满足生产的同时实现效益最大化。其管理实质是通过对现有物资管理业务流程进行改造,变革现有的物资管理机制和决策体系。它的作用发挥,在于充分利用信息技术,对物资采购建立科学的导向模式,并加以分类控制和管理,以达到采购业务整体效率最优。导向型采购模式主要包括三类:

(1)生产导向型。船舶企业产品的材料构成复杂,所需外购物资中,有一部分是制造过程的关键物资。这部分物资的特点是,不具有通用性,根据生产进度组织采购。这类外购物资称为生产导向型物资。为这部分物资建立的管理模式是生产导向型模式。此时的采购组织和管理强调质量和到货时间,以保证生产节点的完成。一般船舶企业中这类物资占物资种类的20%左右,采购资金约占30%。

(2)市场导向型。船舶企业产品所需的物资中,有一部分是通用件和共用品,而且这部分物资的市场状况通常是供不应求,表现为卖方市场,或者是由于企业的采购条件、消耗方式等使得企业要保持一定的库存。这部分物资的采购由于受市场供应情况影响很大,因而称为市场导向型模式。为这部分物资采购建立的管理模式是市场导向型模式。这部分物资一般约占制造业生产所需物资种类的40%,采购资金在40%左右。

(3)企业导向型。这类物资市场状况正好与市场导向型相反,它们的市场特点是,供大于求,表现为买方市场;或者,市场能提供快捷的供货方式抑或设有高效的配送中心。企业对这类物资采购过程有较大的选择权和控制权,因而称为企业导向型模式。这部分物资占生产所需种类的40%,采购资金约占30%。

市场供应状况、企业的生产组织方式和产品特点,决定了以上三种物资采购模式在大多数船舶企业同时存在,船舶企业推行企业信息化和建立物资管理信息系统过程中,要针对三种不同类型的物资建立不同的业务过程和信息处理流程。同时,要根据目标成本控制的要求,对三种导向型模式建立不同的财务控制措施和资金分配政策,发挥采购资金的调节作用,并针对不同的控制过程,在物资管理信息系统中建立起相应的控制模块。

(二)基于导向模式的物资管理系统

导向型采购及物资管理的实质是根据产品的物资构成和市场供应状况,对现有的物流采购过程进行重组,体现在物资管理信息化过程中,则根据不同类型规定不同的信息流程。基于目标成本控制的物资管理系统中心是一个动态维护的物资导向标准库,这一导向库对物资采购各环节进行协调,从而建立起与不同模式对应的采购流程,体现着不同的物料平衡类型、采购计划类型及合同订立方式等。

(三)导向型采购模式的控制内容

建立分类导向的物资采购模式是企业管理创新的重要内容,在建立和运行新模式的过程中,要贯彻管理目标的要求,在流程重组的基础上加强内部控制。

(1)为物资建立科学的导向类型。财务部门联合供应部门、生产部门等对全部采购物资进行合理分类,以确定其适用的采购模式。由于船舶企业外购物资众多,采购模式的确定工作必须借助计算机才能有效进行。实行了ERP(企业资源计划)、PDM(产品数据管理)等软件系统的企业,由于能形成完备的制造信息库,有助于对组成产品的各项物资系统分类。在合理分类的同时,财务部门要逐步完善计划价格、采购价格等物资的标准成本信息,这是对物资采购加强控制的基础。

(2)确定财务控制目标。建立导向型采购模式的主要特点在于分类控制,因而针对不同类型的导向模式,建立对应的财务控制措施是发挥这种多模式控制的关键。对生产导向

型模式,财务要优先满足这类采购资金的需求,并要求库存管理上保持零库存资金占用。对市场导向型模式,财务控制的重点是综合考虑物资的紧俏程度、价格情况、订货费用及可能的缺货损失,以确定一个最佳的订货批量,加快库存资金的周转。对企业导向型模式,财务控制考虑更多的是节约采购资金,如何把库存资金占用尽可能地降到最低限度。

(3)建立合理的供应组织机构。供应部门的组织变革要适应不同采购导向模式的业务流程。当前,多数船舶企业的供应部门是职能式或分部式组织结构,分别执行计划、采购、保管等不同职能。长期以来,这种组织方式使供应部门职责不清,对市场反应太慢。导向型控制模式要求供应部门建立矩阵式的组织机构,其中横坐标代表计划、采购、质检、库存等职能,纵轴代表不同的物资导向类型。这种组织方式可以动员供应部门的力量改善不同类型导向的采购业务。

(4)重组采购业务流程。供应部门要建立合理的业务流程,以适应多种模式的采购管理方法,而且业务重组要根据企业自身的生产特点进行。

(5)建立财务考核控制体系。财务部门确立了各类导向模式的控制目标后,要以目标管理为手段,建立起以责任为基础的控制机制和业绩评价体系。多生产导向型采购模式,可以确定一个成本中心,结合单向产品的目标采购成本进行管理和评价。对市场导向型采购模式,可以结合利润中心的管理和控制方法,在满足生产的基础上鼓励其更过地面向市场进行决策。对企业导向型采购模式,则根据其特点,可以作为费用中心进行考核。

第五节　精益造船

精益造船由精益生产演变而来。精益生产的核心内容是准时制生产方式(JIT),该种方式通过看板管理,成功地制止了过量生产,实现了"在必要的时刻生产必要数量的必要产品"从而彻底消除了产品制造过程中的浪费,以及由其衍生出来的种种间接浪费,实现生产过程的合理性、高效性和灵活性。实质上,在造船工业中提倡精益生产,从根本上节省了人工成本和物资成本。

一、精益生产概念

精益生产是在 JIT 生产方式、成组技术(GT)以及全面质量管理(TQC)的基础上逐步完善的,它制造了一幅以精益生产为屋顶,以 JIT、GT、TQC 为三根支柱,以并行工程和小组化工作方式为基础的建筑画面。它强调以社会需求为驱动,以人为中心,以简化为手段,以技术为支撑,以"尽善尽美"为目标,主张消除一切不产生附加价值的活动和资源,从系统观点出发,将企业中所有功能合理地加以组合,以利用最少的资源、最低的成本向顾客提供高质量的产品服务,使企业获得最大利润和最佳应变能力,其主要特征为:

(1)简化生产制造过程,合理利用时间,实行拉动式的准时生产,杜绝一切超前,超量生产。

(2)简化企业的组织结构,采用"分布自适应生产",提倡面向对象的组织形式,强调权利下放给项目小组,发挥项目组的作用,采用项目组协作方式而不是等级关系,项目组不仅完成生产任务而且参与企业管理,从事各种改进活动。

(3)精简岗位与人员,每个生产岗位必须是增值的,否则就撤出,在一定岗位的员工都是一专多能,互相替补,而不是严格的专业分工。

（4）简化产品开发和生产准备工作,采取"主查"制和并行工程的方法。克服了大量生产方式中由于分工过细造成的信息传递慢、协调难、开发周期长的缺点。

（5）"零缺陷"的工作目标。精益生产的目标不是尽可能好一些,而是"零缺陷",即最低成本、最好质量、无废品、零库存与产品的多样性。

二、精益造船

"精益造船"望文生义就是追求精益求精,是企业保持持续改进、持续发展、持续提升的精神渊源。所谓"精益",就是要消除一切造船生产过程中的浪费。

（一）产品价值链

精益生产把产品生产全过程分成两大部分。一部分叫做有效时间,另一部分叫做无效时间。在传统造船模式当中,无效时间远远大于有效时间。

产品生产的全部意义是为了满足市场和客户的需要。从满足市场和客户需求的角度考虑,有效时间是市场和客户需要的（有价值的,增值的）,而无效时间是市场和客户不需要的（无价值的,不增值的）。因此,任何在生产过程中产生无效时间的现象就是浪费。

仔细分析造船船体的制作过程,我们可以发现这样的事实（图5-1）,任何无效时间都会造成生产的停顿,就会产生浪费。传统造船模式往往注重于提高作业加工的生产效率,通过设备的更新改造、工艺技术的进步和工人的熟练技能,想方设法缩短有效作业时间来提高产量。精益造船模式更注重于缩短无效时间来缩短生产周期,从而大大减少中间环节的浪费。我们称这种主要通过缩短无效时间来缩短造船周期、提高造船质量和降低造船成本的思考为精益造船思想。

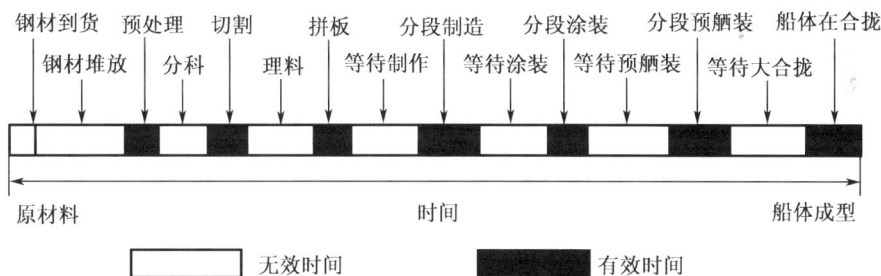

图5-1　船体制造过程有效和无效时间分析

日本丰田汽车公司把无效时间内产生的浪费描述为以下7种。

（1）生产浪费。就是在下道工序需要之前提前生产了大量的中间产品（零部件、舾装件或分段等）。这种生产产生大量的在制品库存,占用了大量堆放场地,造成了生产过剩和产品积压,使资源不能顺畅流动,是生产中最基本的浪费。

（2）缺陷浪费。质量缺陷和次品妨碍了流畅的生产,导致了许多次品需要处置或返工的浪费。

（3）库存浪费。包括原材料、在制品和成品的库存。库存需要仓库、堆放场地和空间,占用了大量的资金,而且容易造成库存损坏,隐含了许多管理问题。

（4）操作浪费。任何不增加市场和客户价值的人和物的移动及多余动作都是浪费。

（5）加工浪费。任何超过市场和客户需求的额外加工都是浪费,俗称质量过剩。

（6）运输浪费。任何不符合产品增值要求的原材料、在制品和成品的搬运都是浪费。

（7）时间浪费。物的等待造成生产不能连续作业；人的等待造成企业最重要资源的浪费。

例如作业过程中需要看图，造成了人和料的等工，就是一种浪费。日本船厂利用数控切割机划线，在钢板上标明了所有的安装尺寸线，使工人在施工中不用看图就可以对号入座，直接安装，大大减少了浪费，提高了工时利用率。

（二）单件流水作业

造船过程最大的浪费就是生产过剩。在传统造船模式中，为了扩大生产总量，常常追求设备的最大利用率，这就需要组织批量生产，组织批量生产，生产准备时间长和在制品库存多是不可避免的，因此生产过剩也就成为必然。理想的精益造船是让每一个部件和中间产品都能做到连续不断地生产，按客户要求按时完成生产，不提前，也不拖后。把相同类型的中间产品，一件一件地组织连续不断的传送带式的流水作业，或称为单件流水作业。组织单件流水作业，要做到连续不断生产，追求零库存管理，就可以减少生产过剩。

库存会掩盖许多管理问题。如质量和进度等等，不等到库存缺货，不会暴露问题，就不能把问题解决在萌芽状态，也不会引起管理层足够的重视。时间一长往往很难判断问题的根本原因。

单件流水作业，只要一出现问题，就需要立即解决，否则生产就会停顿，就会直接影响后续生产。这样就增加了问题的严重性，会计管理层充分的重视，也会使问题得到充分彻底的暴露，解决问题的迫切性就加大了。这样有利于把问题解决在源头和萌芽状态。

例如传统造船的板材和型材加工都是批量制作的，大量板材和型材在车间加工完后，存放在堆场里，然后按照生产进度需要进行理料，再分类分批地提供给小装配、平面和曲面分段加工（图5－2）。在精益造船模式中，板材和型材都是在内业工场按部件装配、平面和曲面分段分道加工的，然后再连续不断地提供给部件装配、平面分段流水线和曲面分段流水线，这样不但节约了大量的堆放场地和理料时间，减少了在制品库存和资金占用，同时还大大缩短了生产周期，改善了生产质量（图5－3）。由于连续不断的作业要求，往往今天切割加工好的材料，明天就用于部件装配或分段合拢了。这样，一旦有质量问题，马上就能反馈解决。而批量加工情况下，往往要一周以后才会用到这批材料，才会发现质量问题。那时候，可能同样质量问题已经在其他许多地方发生，后患无穷。实现单件流水作业后，质量问题能够迅速反馈，要求作业者马上解决，否则就会影响下道工序生产。这样，作业者就学会了思考，提高了发现问题和解决问题的能力，许多好的预防措施，好的生产组织形式，以及好

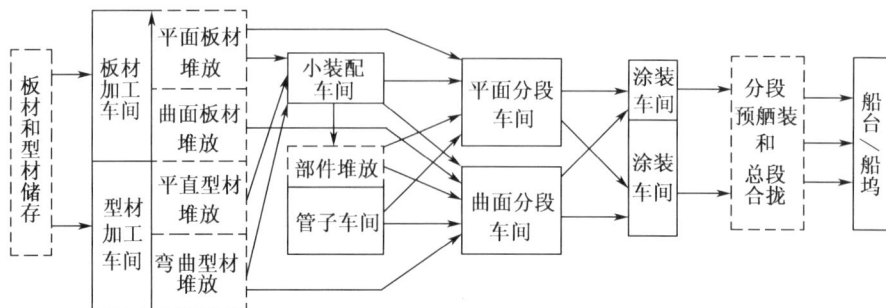

图5－2　传统造船船体加工流程

的工作标准也就应运而生,生产效率也随之大大提高。

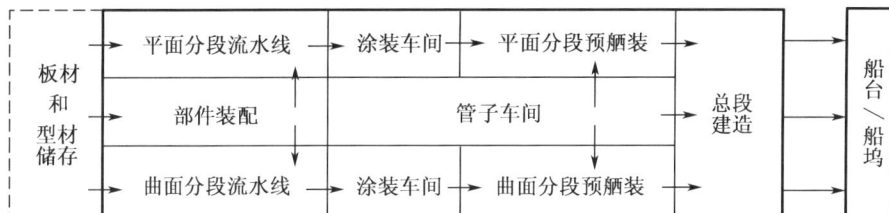

图 5 − 3　精益造船船体加工流程

　　如果在造船过程中无法组织单件生产,必须组织批量作业的话,应该把每个批次的生产数量控制到最小的程度。就像超市一样,在货架上保持一个最低的库存,客户取走多少,就生产补充多少。比如,一些小的常用的标准件和舾装件可以组织批量生产,如法兰、人孔盖、各种标准附件等等。

(三)拉动计划体系

　　传统造船模式通常由管理部门制定全公司的生产计划,然后按照公司的组织机构,层层下达计划,由下级机构按照公司总的计划要求,去制定具体的实施计划。这样的计划往往要求纵向到底、横向到边,从上到下、从前向后地推动,是一个推动计划体系。对公司计划人员的业务素质要求非常高,计划策划必须对全公司的情况和资源非常熟悉,否则计划就难以落实。一般情况下,计划工作很难作得非常具体、非常细。这样,计划执行的随意性就比较大,计划执行过程的控制就比较难。

　　要进行单件流水作业,就需要按照客户需求来制定生产计划,建立一个从后向前、从下而上的拉动式计划体系,即拉动计划体系。由后道工序向前道工序提出订货计划,然后由前道工序严格按照后道工序的交货要求,不提前,也不拖后地安排生产。在一条单件流水作业的生产线上,每一道工序既是生产者,也是客户,既需要满足下一道工序的交货要求,同时又需要向上一道工序提出订货要求。

　　精益造船的单船生产计划就是按照交船期和船厂总体生产安排的要求,先制定出有生产节拍的船体大合拢计划和分段制造计划。然后从船体大合拢计划和分段制造计划出发,根据平面分段和曲面分段流水线的生产节奏,包括涂装和预舾装,以及板材型材和管子加工等等,按照拉动原理从后向前一级一级地由作业者(系或者工段)制定各自的作业计划、物料计划和劳动力计划。然后由生产主管部门进行综合平衡,将作业计划与物料计划和劳动力计划进行平衡,做到作业计划和物料计划的统一,作业计划与劳动力计划的统一,最后汇总成全公司的年度和月度生产计划。

　　作业计划、物料计划和劳动力计划是造船生产的三大主体计划,造船的其他一切计划都是围绕这三大计划展开。如资金需求计划、设计出图计划、人力资源计划,技术改造计划,设备维修计划,以及公司各部门的工作计划等等。在日本造船企业中,每个工人每天都必须填写工时记录表,如实记录当天每个小时的实际工作情况,然后由专职录入员每天将实动工时按作业区分、作业工种和作业内容录入工时数据库。如果出现工时能力放空的现象,必须写明造成工时浪费的原因,而这些浪费的工时也就成为下艘船舶改进生产计划、提高生产效率的起点。每艘船实际建造工时的详细记录也是作业者制定作业计划和劳动力计划的依据,

也是生产主管部门平衡生产作业和劳动力的依据。工时是造船生产计划的灵魂,它代表的既不是物量,也不是分配,应该是实际的生产能力。准确的实动工时记录,对于组织精益造船生产计划至关重要。不久以前中国船厂的工时制度是沿用以前计划经济时代的,通过改革开放以来的逐步演变,目前的工时制度实际上是一种承包式的工时制度,是一种层层讨价还价式的工时制度,不能反映造船生产的实际情况。这种工时制度实际上代表的是分配,而不是生产能力。事实上,现行中国船厂这种工时制度已经成为中国船厂管理进步的一个主要障碍。应该把计件工资改为计时工资。

(四)准时生产(JIT)和零缺陷施工

准时生产和零缺陷施工是精益造船模式的两个最重要的理念,是保证质量、成本和周期目标实现的根本。

"准时生产"就是在需要的时候,按照需要的数量,生产需要的产品不允许出现任何人员和物料的等工现象。组织准时生产的最大好处,就是可以大大减少人工和物资的浪费,没有库存,没有闲置劳动力。

准时造船就是要组织单件流水作业生产线,运用成组技术和族制造原理,按照造船作业的系统/区域/类型/阶段,组织柔性的相似的中间产品分道和流水的作业生产线,真正形成一件接着一件、按照生产节拍交付产品的传送带式生产。造船的板材加工、型材加工、管材加工、单元舾装、小组立、平面分段和曲面分段的生产都可以组织单件流水作业,其中间产品可以按零部件和构件来划分,也可以按分段和舾装单元来划分。组织单件流水作业的真正目的是为了消除生产过程中所有无效时间的浪费。在造船过程中,只要有无效时间存在,就有不断改进完善的可能。比如,许多船厂在造船周期紧张的时候,经常通过扩大分段储备量,用外场促内场的生产方式来加快造船进度,就是一种浪费的生产方式。精益造船要求按照生产需求组织有节拍的分段制作,把分段储备减少到最低的程度。

"零缺陷施工"就是要把所有的施工质量问题都消除在源头,消除在萌芽状态。这就需要组织全员的质量自主管理,贯彻"质量是做出来的"的思想,谁做谁检查,谁做谁负责修复缺陷。要求作业者严格按作业基准一次作业合格,保证自检互检后的产品质量100%合格,决不允许有次品流入下道工序。组织造船精度管理和全员质量管理,加强质量自主管理体系建设,减少质量专职检验人员。零缺陷施工的最大好处,就是可以把质量问题消除在源头,节约了大量人工检验和缺陷返修的成本,同时还大大缩短了生产周期。

(五)均衡生产和生产节拍

为了保证生产能够连续不断,同时又能满足产品需求节奏,就需要组织均衡生产,让生产处于一种有节奏的状态当中。这样,就需要运用成组技术原理,合理设计单件流水生产每一个工位的作业量,计算出生产节拍。生产节拍也可以称为客户需求周期,可以描述为总生产时间除以客户需求数量,表示客户需要一个产品的平均必要时间

$$生产节拍 = 总生产时间 ÷ 客户需求数量$$

生产节拍对于汽车生产商来说,可以是每60秒需要交付一辆汽车;而对于造船来说,可以是每半天需要生产一个批次的管子,或者每天搭载两个分段。组织有生产节拍的造船生产,船体可以分段为单位,舾装可以托盘和单元为单位,管子和零部件可以批次为单位。设计生产节拍是精益造船的一个目标,通过建立有节拍的生产来组织均衡连续的准时造船,让生产更加流畅。

生产节拍不一定等于生产周期。例如生产一个托盘需要1.5个小时,而下道上序每2小

时需要一个托盘。这样,生产周期就小于生产节拍。如果满足生产节拍要求,生产能力就会放空,就会造成人员等工或设备能力闲置;如果要保证生产的连续不断,由于生产能力大于生产需求,就会生产过剩,造成库存积压。这两种情况都会造成浪费。反之,如果生产周期大于生产节拍,就需要安排加班,或提前安排生产,储备一定库存,以满足生产节拍的需要。无论是加班和增加库存都需要增加成本。因此,在组织均衡生产过程中,一定要追求生产用期与生产节拍的基本一致,否则就会产生浪费。理想状态下,生产周期应该等于生产节拍。

组织单件流水作业,按照生产节拍也会经常出现不经济的现象。例如有两种类型的分段需要装配,A 分段和 B 分段。A 分段要安装大量管子,B 分段要安装大量结构件。按照船体大合拢进度,搭载次序分别为 A—A—A,B,A,B—B,A—A。这种不规则的生产节奏可以满足船体大合拢要求,却给提供管子和结构件的前道工序带来忙闲不均。忙时需要加班或提前生产,闲时就会造成人力和设备资源浪费。为减少浪费,使前道工序能够实现连续不断的均衡生产,我们可以在不影响船体大合拢进度的情况下,对分段搭载次序做适当调整。如,A—A—B,A—A—B,A—A—B。这样,管子、结构件,以及 A、B 两种分段都可以组织起均衡连续有节拍的生产。所谓两岛式或三岛式的船体大合拢搭载方式就可以兼顾考虑分段制造的节拍生产。

按照精益造船理论,分段制造也完全可以组织节拍生产。传统的分段制造处于不均衡的生产状态中(图 5-4),1~4 分段各个作业阶段(钢料加工、拼板组装、分段制造和船体合拢)的生产时间是不相等的,很明显,按这样的计划不能按工位组织单件产品流水作业,每个作业阶段需要安排两个作业小组分别在不同场地才能完成生产,一个小组做 1、3 分段,另一个小组做 2、4 分段。这样就会造成生产环节中的许多浪费。如果通过劳动力或作业量的适当调整,让各个作业阶段的生产时间基本相等,这样就可以按照生产节拍组织连续不断的单件流水作业(图 5-5),一个小组在固定工位就可以完成全部 1~4 个分段同一个作业阶段的作业。

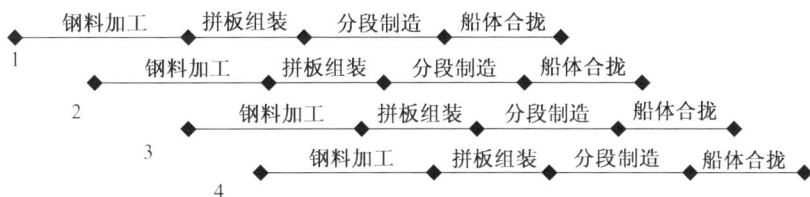

图 5-4　不均衡分段制造

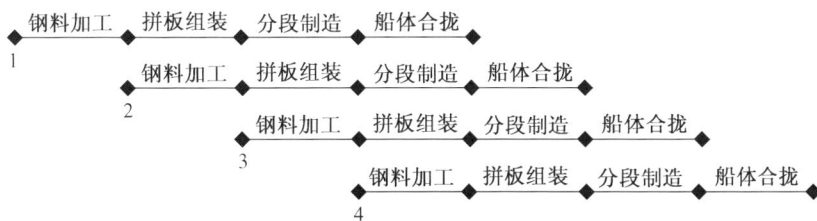

图 5-5　均衡有节拍分段制造

同样,在一些固定的分段合拢胎架上,也可以组织有生产节拍的流水作业。往往是作业人员移动,而加工分段和工具设备不动。当装配工完成装配作业从胎架 B 移动到胎架 C

的时候,电焊工正好完成电焊作业从胎架 A 移动到胎架 B,依次类推。

由于组织均衡有节拍的生产能够大幅度地减少浪费,大大提高劳动生产效率,在可能条件下,要尽可能组织有生产节拍的流水作业。为了适应精益造船中间产品的单件流水作业,劳动组织形式也要按照系统/区域/类型/阶段来划分,如内业、外业、小组立、大组立、管子、机装、船装、电装、内装、涂装等等。在用工制度上,实行一工多能的岗位技能制度,便于劳动力合理使用,在组织节拍生产的过程中合理调整作业量,不浪费劳动力。在产品品种变化较大、工种不能平衡的时候,还可以通过使用外包协力工来调节劳动力安排。

第六章　安全生产管理

经济全球化背景下的企业生产组织和实施,离不开科学化、系统化的安全生产管理。企业安全生产管理是生产管理的重要组成部分,它不仅具有生产管理的一般规律和特点,还有特殊的规律和范畴。

第一节　安全生产管理的基本理念

安全是人类生存和发展活动永恒的主题,安全生产管理作为生产的重要组成部分,在其长期的发展历程中产生了一些基本理念。

什么是安全?顾名思义,安全是"无危则安,无缺则全",安全意味着不危险,或者不因危险而缺失,这是人们传统的认识。按照系统安全工程观点,安全是指在生产系统中人员免遭不可承受的伤害。俗话说"高高兴兴上班来,安安全全回家去",人命安全高于一切。安全管理一直是我国政府、各个企业常抓不懈的工作。

安全生产管理是管理的重要组成部分,是安全科学的一个分支。所谓安全生产管理,就是针对人们生产过程的安全问题,运用有效的资源,发挥人们的智慧,通过人们的努力,进行有关决策、计划、组织和控制活动,实现生产过程中人与机器设备、物料、环境的和谐,达到安全生产的目标。

安全生产管理的目标是,减少和控制危害,减少和控制事故,尽量避免生产过程中由于事故所造成的人身伤害、财产损失、环境污染以及其他损失。安全生产管理的基本对象是人和物,当物的不安全状态和人的不安全行为发生作用时,就会发生安全事故。

物的不安全状态是安全事故的外因条件。船厂的生产有它独有的特点。一是高空作业多,大量的作业人员在几米、十几米、二十几米甚至更高的地方进行作业;二是动火作业及危险品多,如使用乙炔等可燃气体的焊接切割作业,使用油漆及稀释剂等易燃易爆物品的涂装作业;三是大型制造物品吊装搬运多,造船生产大量使用起重机等特种设备,最大吊运重量可达几百吨,甚至上千吨;四是作业环境复杂,现场作业环境变化大、流动性强、露天、狭窄空间作业多。因此,在这样危险复杂的生产环境中,要实施安全管理的物品成千上万,包括设施、设备、机器、工具、用具及作业环境等,大的如龙门吊,小的如扳手锤子,直至通道、照明、噪声和粉尘等等。一旦有设备处于不安全状态,就极易引起重大安全事故。

人相对于物是安全事故的内因条件,是安全管理最活跃的决定因素。员工的技能水平、安全意识、生理状况、心理状态直至个人性格都将对其的作业行为产生影响,是最难预测与控制的。

对于人与物组成的这样一个互动系统,要让这个系统最安全、最有效率地运行,做到人不破坏物、物不伤害人,就必须用管理者容易管理、作业者易于接受的安全管理方法,谋求和探索一种人与物和谐运行的方式;做到人与物合理匹配,让物的状态能够适应人,人的行为能够适应物。特别是物的状态应该适应员工的生理和心理特征,尽力使员工的作业行为能够在轻松中准确地进行,减少粗暴、无理、勉强的动作以及可能产生的失误,防止安全事故和人体伤害发生。

21世纪高职船舶系列教材

ERSHIYISHIJI GAOZHI CHUANBO XILIE JIAOCAI

任何情况下,一旦发生重大安全生产事故,往往意味着一个鲜活的生命的结束或健康的失去。人的生命和健康高于一切,避免事故的发生是出于对生命的尊重,这也是我国法律法规的要求。其次,重大安全事故会导致停产、产品报废等,这会直接影响船舶生产的进度、质量、成本。只有安全生产,才能使生产按计划进行,才能保证船舶生产周期;只有安全生产,才能保证船舶的质量;只有安全生产,才能降低船舶的制造成本。

安全生产在《辞海》中的解释为:安全生产是指预防生产过程中发生人生、设备事故,形成良好劳动环境和工作秩序而采取的一系列措施和活动。在人们长期的安全生产管理实践中,也总结了必须要始终坚持"安全第一,预防为主"的方针。

因此,要做好安全生产管理工作,就必须落实"预防为主"的方针。首先要通过不断的安全教育和培训,使员工真正地认识到安全生产的重要性,使员工养成良好的安全生产习惯,从根本上消除人的不安全因素,保障生产安全。

其次,要消除物的不安全状态。现代化的船厂是要使用到各种设备的,比如大型吊机、电焊机、弯板机等等。设备是否存在隐患也是安全生产管理的一大重要课题,所以设备管理也要形成相应的制度,管好设备,使设备始终处于安全可用状态,是保障生产安全的另一个重要方面。

再则,尽管人是能动性最强的元素,所谓"人定胜天",但这只是一个信念,人不是万能的,人是有缺陷的。英国的格林伍德和伍兹研究发现,一些工人如果在生产操作中发生过一次事故,当继续操作时,就有重复发生第二次、第三次的事故倾向。这就是由于人的心理缺陷造成的。安全管理就是要重视人性的弱点,就是需要给员工创造安全的作业环境。4S、6S管理就是旨在给工人创造一个安全、整洁的工作环境,4S、6S管理的基本内容在后面的章节中介绍。

最后要强调的是各项安全措施的实施必须要有强制性,这就需要建立相应的领导和监督机制,以确保真正做到"预防为主",把安全隐患消除在萌芽之中,以保证生产作业安全。

第二节 安全生产管理制度

为保障各项安全措施的实施,需建立各项安全生产管理制度。国内的船厂常设专职安全管理监督人员,人数一般在100人左右,而日本的管理模式将安全管理与生产管理融合为一体,建立高效、自主的安全管理模式。一个同等规模船厂的专职安全监督管理人员只需要5~10人,这样不但可以大大缩小安全监督管理的成本,而且可以取得同样的、甚至更好的安全管理效果。

一、领导负责制

领导负责制就是从总经理到部门领导,到现场员工,一级管理一级,一级对一级负责,明确各级的第一把手是第一安全责任人,各部门和车间不设专职安全员。这样设置,不是不重视安全,相反是对安全工作极端重视的表现。这样做的好处是让各级一把手亲自来组织、推进安全管理事项,保证安全指令的权威性,同时也使各级一把手无法逃避、推卸或转嫁安全管理责任。

二、区域负责制

区域负责制就是在船舶建造过程中,由于多个部门人员在同一场所共同作业,而确立的一种以区域来划定的管理制度。如在船台/船坞建造和码头舾装等不同作业区域,分别建立区域的安全管理条例,确定安全管理事项,任命不同部门的人员分别担任区域总负责人、具体区域责任人和区域安全组长,而且是兼职的。区域总负责人、具体区域责任人要综合考虑

该区域内的安全状态,担负责任并进行监督,区域负责制是一个动态的、富有协调性的管理制度,可有效避免不同部门人员之间相互扯皮和推诿。

三、巡回检查制度

总经理、各级部门和科系一把手必须进行月度的安全巡回检查。同时,组织月度的区域安全巡回检查和安全部门集体巡回检查。另外,安全部门还要根据现场的安全管理状况,组织每周一次的专项安全巡回检查。每天还可以由一名安全管理人员带领从各车间抽调的3~4人进行现场安全巡回,并将每天在现场巡回发现的问题,及时向作业者提出、指正。频繁的巡回检查使各级管理人员能够及时把握安全管理体制运行状况,现场安全作业状态,并及时提出、研讨和实施改善对策。

四、会议制度

总经理安全工作会议是船厂最高安全管理会议,每个月末在总经理安全巡回检查结束后,由总经理组织召开,各部门一把手出席。会议议题可以包括讲评现场巡回中发现的问题,以及上月安全问题整改情况的通报。安全部门可以在会上报告本月事故情况,并说明下月船厂安全重点管理项目及实施要点。各部门可以报告本月安全活动实施结果,并说明下月安全活动计划等等。除总经理安全会议以外,各部门、各科都必须召开月度安全会议。各班组也要召开月度安全恳谈会,以及每天召开班组晨会。特殊情况下,还可以由安全管理部门组织专题安全会议。较为完善的会议制度,保证了各项指令能及时得到贯彻实施。

五、安全监督制度

在自主管理体制下,安全部门最主要的职责是倡导安全理念,建立合理的管理程序,维护改善体制的运行,把握监督现场安全状况,指导安全管理与作业方法。安全部门应该每月派员参加各部(科)的安全会议和安全巡回检查活动,除现场指正问题外,还需要每周向这些部门反馈安全巡回的检查结果,并跟踪安全整改的情况,对各部门的安全管理进行月度的评价考核。

六、班组安全建设

船厂要定期组织班组长培训、帮助建立班组安全管理手册、班组安全标示板等,来不断提高班组长的安全管理意识和安全理论知识,提高班组自主管理的技能,使班组长能主动履行班组安全监督的责任,确保船厂安全管理最重要的基层组织运行良好。

七、安全管理规章

要保证安全管理的执行力度,船厂在开展全员安全管理的同时,必须要建立规范可行的安全管理规章制度,建立和完善安全卫生管理规程、安全责任制、安全卫生规定、作业标准等管理制度。制定这些制度的时候,既要考虑国家的法律法规,也要充分考虑制度和程序的可执行性,确保员工能够理解、接受和执行。特别要强调严格执行作业标准,作业标准与普通安全操作规程的最大区别,就是不但能够明确告诉作业者什么能做,什么不能做;而且根据作业类型,告诉作业者第一步怎么做,第二步再怎么做;其中必须要遵守的是什么,禁止的是什么等。当发现现有的规定和标准在现场很难推行或执行时,管理者不单是要加强教育,加强监督,甚至加大处罚力度,而且还要考虑规定和标准的合理性,了解为什么难于执行的原

船舶工程专业

CHUANBO GONGCHENG ZHUANYE

因,通过与作业者、班组长共同讨论,来修订规定和标准。这样,一方面保持了规定和标准的严肃性,另一方面使作业者容易接受,并乐于执行。

以上介绍的是各项安全管理制度的建立,这是保障各项安全措施实施的硬件。但国内企业虽也设有各项制度,但最后只成为摆设,究其原因,这些制度只对员工,不对领导。要落实各项安全管理规章,领导必须率先示范。船厂部门以上领导,直至总经理,到现场去,都必须穿戴与普通员工同样的劳动防护用品,包括佩戴高空作业安全带等等。领导者率先按规章执行、按秩序办事的姿态,是对员工最生动最有效的教育,是保证各项安全管理规章切实执行的源动力。

船厂在重视培训和教育、处处为员工着想的同时,并不排除使用处罚手段。可以制定相应的《安全奖惩条例》并辅之以红黄牌警告制度。对轻微的违规行为给予黄牌警告,可以不进行经济处罚;对严重的违规行为或6个月中两次黄牌警告的,可给予红牌警告并进行经济处罚直至纪律处分。所有的红、黄牌警告都要进行通报,不单是为了对其违规行为进行处罚,最主要的是为了教育所有员工引以为戒。

第三节　创造安全作业环境

要保证安全生产,就要为员工努力创造安全的作业环境,也就是保持物的安全状态。在保证有一个安全的作业环境方面,目前最有力的工具是4S、6S。

一、4S 的含义

4S 活动源于日本,并在日本企业中广泛推行。4S 活动的基本内容是开展生产的现场管理,对场地、材料、工具、设备、安全和作业等生产要素,通过整理、整顿、清扫、清洁活动,形成规范和标准的行为准则,逐步发展演变成为一种全员自主管理的企业文化。4S 指的是整理(Seiri)、整顿(Seiton)、清扫(Seiso)、清洁(Seiketsu),4 个 S 是上述四个词的日语罗马拼音的词头。

整理就是彻底从作业场所清理不必要的物品。按照有利于生产的要求,定期把每天生产必需使用的物品和很少使用的或不用的物品分开。用标签标明很少或不用物品,然后将这些很少用或不用的物品放到远离现场的合适地方,或者处理掉。

整顿就是把要用的东西,按规定的位置和方法摆放整齐,也就是"定置管理"。它谋求在作业系统及流程中实现人与物的最佳组合,根据工作场所现有的系统实际情况,通过对现场的诊断、作业流程、作业动作、环境因素等进行科学的分析,判断其安全、效率、质量、成本效果,然后进行整顿(定置管理)的设计。

清扫就是指随时清理、打扫作业场所(地面、设备等)的垃圾、灰尘和污物等,自己产生的垃圾自己清理。

清洁是指维护整理、整顿、清扫3S 的成果,保持工作场所的干净、整洁。

二、4S 管理活动的重要性

战败后的日本,在自然资源十分匮乏的条件下,只用了短短二三十年的时间创造了令世人震惊的经济奇迹,"日本制造"无处不在,以其"质优价廉"的工业产品打得老牌工业强国节节败退。此现象引起了许多专家、学者的极大兴趣,他们对日本经济的成功进行了深入广泛的研究,发现成功的因素有很多,其中4S 管理活动起着至关重要的作用,并称之为日本工业成功的一大法宝。

我们来分析一下为什么说4S是一大法宝,首先来研究一下未实行4S的作业现场。

1. 未实行4S管理的作业现场的弊端

船厂是什么样的厂?当问起这个问题时,我们会联想到一个到处堆着钢板,随处有边角料,电缆线满地摆的场景。在船厂走路,一要往上看,看高处有无吊机在作业;二要往下看,看脚下是否踢着废钢材。这样的作业环境势必会给生产带来影响。

(1)机器、设备、工具摆放不当。这会导致作业流程不顺畅、增加搬运距离、增加人员走动时间、增加找寻设备时间。

(2)机器设备保养不良。这会导致故障多、精度不良、影响工作士气。

(3)原料、制品,成品,不良品混放。这会导致容易混料、延长找物品的时间、管理人员把握不了物品状况、增加人员走动时间、易造成产品堆积。

(4)运料通道不当。这会导致工作场所不流畅、增加搬运时间、易发生危险

从以上看出,种种不良现象均会造成不安全因素,并会造成浪费,这些浪费包括资金、场所、人员、士气、形象、效率、品质、成本的浪费。

2. 4S管理活动的作用

4S活动不但能够创造安全、舒适、清爽的作业环境,还能提高生产效率、产品质量,鼓舞员工士气等,牵一而动百,是其他管理活动有效开展的基石之一。

(1)4S对安全有保障

4S活动能创造并保持整齐、明亮的作业场所,对、错一目了然;4S活动能保证通道畅通、简便,危险易于识别;4S活动能培养员工良好的行为习惯,掌握规范并正确地作业,4S活动还能培养员工能够自己考虑安全,并围绕着安全采取行动。

(2)4S是节约专家

4S管理活动可以合理配置和使用资源,减少浪费,降低消耗,避免不必要的等待和查找,提高工作效率,并可增加设备的使用寿命,减少维修费用。

(3)4S是高品质的保证

4S管理活动可提供干净整洁的环境,以利于创造高质量的产品,不可想像在脏、乱、差的环境中可生产高质量的产品,另外4S管理活动可促使员工按规范作业,减少问题发生,并且便于发现问题,及早解决,以保证产品质量。

(4)4S是标准化的推动者

标准化生产可保证产品质量,4S是标准化的推动者,它对现场的布置、现场物品的摆放都有规范的要求,并规范作业方法,要求正确执行已规定的事项。

(5)4S创造快乐的工作岗位

明亮、干净的工作岗位,不会让人厌倦、烦恼、不安,会让员工工作时心情保持愉快,而且员工动手改善环境,有成就感,有归属感,容易形成良好的人际关系,创造有活力的工作环境。另外4S活动强调全员参与,这有利于塑造出良性的企业文化,以激发员工的工作热情。

(6)4S是最佳的推销员

安全、舒适、清爽的工作环境,能提高企业的知名度和社会形象,一方面使客户有信心下定单,另一方面能吸引优秀的人才来工作,促进企业的发展。

三、4S管理活动的发展

4S管理活动的成功极大地推动了其本身的发展,有些企业根据其自身的特点,将4S变

21世纪高职船舶系列教材

ERSHIYISHIJI GAOZHI CHUANBO XILIE JIAOCAI

为5S,6S,7S,甚至10S。5S即为在4S的基础上加上增加素质(Shitsuke),6S增加的内容各不相同,有安全(Safety)、服务(Service)、规范(Saho)等之分,在造船行业,大多提倡6S,而且6S指的是规范(Saho)。

素质:也称素养、修养。自觉遵守已规定的事项,养成良好的行为习惯,在此基础上自发地维护公司利益,关怀同僚。

规范:也称做法。掌握作业规则并正确地作业。造船适及的物复杂而危险,如果每一个员工都能按预定的最佳操作规程去作业,则会大大地降低危险性,提高工作效率。

如果说4S主要是创造环境,那么6S则是既要创造环境更要培育人。通过创造环境从而培育具有良好素质、掌握规范、能够考虑安全并围绕着安全采取行动的优秀员工;另一方面,通过具有良好素质的员工群体的共同努力,又进一步推进环境的维持与不断完善。"人造环境,环境育人",这是6S追求的最高境界。

四、6S实施要领

既然6S的作用是巨大的,就应该做好6S的推进工作,要推进6S,首先要掌握6S实施要领:

1. 明确工作环境

工作环境是公司内所有的有形设备、设施和无形条件的总称,是6S管理的基本对象。包括工厂周边;建筑物、构筑物的本身及周边;工作与作业场所;空地、道路;机器、设备及其配置;办公室及内部设施、物品;仓库场地;空气(通风);照明;温湿度;噪声。

2. 整理

(1)整理的目的

①清除凌乱根源,腾出"空间",改善和增加作业面积;②减少磕碰的机会,创造安全的工作场所;③保持现场无杂物,通道畅通,创造清晰的工作场所;④防止误用、误送。

(2)整理的步骤

①对工作场所内的任何东西进行判别,哪些是有用的,哪些是无用的;

②将无用的东西与有用的东西明确地、严格地区分开;

③无用的东西放到指定的地方或清除出工作场所。

(3)整理的方法

①确定整理的对象。重点着眼对下列的对象与内容进行考虑,找出哪些是要清理的,并将其撤除。

(a)地面、作业面(包括船上)

- 是否有长期遗留的钢料、部材等
- 是否有长期不用的工器具、吊具、工具、台车等物品
- 是否有不用的油桶、油漆、溶剂、粘接剂
- 是否有散落的马、焊丝盘、电焊条、螺丝、螺帽等
- 是否有散落的废纸、破布、废焊丝焊条、废木材、废劳护用品、烟蒂、废砂轮片等废物
- 宝箱内放置物是否符合分类要求

(b)作业现场周边

- 工作台下面、窗户、柱子、角落处有没有堆积无用物
- 有没有堆在场外的生锈材料、料架、垫板等未处理品
- 有没有无用的标牌、油漆、纸箱、烟蒂、扫把等

（c）工具橱、箱、架

● 是否有不用的工器具、物品等

● 是否放置用途以外的物品和杂物

● 是否有不适合放置的物品

● 标签、标示牌等是否是有效的

（d）墙面、公告牌、天花板等

● 有没有蜘蛛网,尘网、乱拉的电线等

● 有没有过期的、不符的指示牌、公告等,墙上的标牌、月历是否过期

● 有没有废弃的照明器具、门窗等

（e）办公场所(包括现场办公区域)、休息场所

● 办公室抽屉、文件柜里有没有无用的文件、资料等物品

● 办公桌上有没有无用的文件、资料等物品

● 有没有无用的测试品、样品等

②判断要点

"必要"与"不必要"物品的判断标准:一般以三个月内要使用的为必要的,否则要撤出作业现场(不再使用的,处理掉;使用频率低的,放置到作业现场以外的存储处)。即便是必需品,也要适量;将必需品的数量降低到最低程度。并经常对现场物品进行判断,特别注意一些日常不容易看到的地方。在处置物品时要有决心和魄力,不必要的物品应断然地加以处置,要考虑物品现在的使用价值而不是原来的购买价值。在场地不够时,不要先考虑增加场所,要整理现有的场地,看看还有没有可利用的空间,只有在现场无可利用的空间时,才考虑增加场所。

（4）整理活动中应注意的错误行为

整理活动中要端正自己的思想,有些错误想法是不可取的,如① 虽然现在不用,但是以后要用,搬来搬去麻烦,不如留在现场;②好不容易才弄到手,就算没用,放着也不碍事;③一下子处理报废这么多,管理者有意见怎么办,谁来承担这个责任;④为什么别人可以留下来,而我不行等。

3. 整顿

整顿是把要用的东西,按规定的位置和方法摆放整齐,并做好标识进行管理,做到拿取方便,安全可靠。

（1）整顿目的

整顿是为了创造一目了然的工作场所,整整齐齐的工作环境,消除寻找物品的时间,消除过多的积压物品,而且一旦有异常(如丢失、损坏)能马上发现。

（2）整顿的步骤

①确定物品的放置场所;

②确定物品放置方法;

③确定物品放置种类、数量并进行适当标记。

（3）整顿的管理方法

①现场诊断

现场诊断就是对现场的现状进行分析,找出存在的问题及原因,设计方案,使其达到预定管理目标。诊断时要注意工作现场有哪些物品、工器具等需要定置管理,要考虑采用什么

方法安全、方便。

②作业流程分析

作业流程分析就是根据作业内容,对作业过程中的作业条件、作业时间、移动距离、人员配置等进行综合考虑,从而确定合理的作业流程,使作业环境达到人、机、物、场所一体化。

③作业动作分析

作业动作分析就是研究作业者的动作,研究作业者作业的安全性与作业效率,分析人与物的结合状态,发现合理的人、物结合状态,去掉作业中无理、粗暴、危险不合理的状态,清除人和物结合不紧密的状态,以保证安全、高效的作业。

根据分析研究的结果,确定人和物的配置,确定作业者与设备、工器具、宝箱等的最佳位置,并且根据需要定置辅助设施。

④环境因素分析

环境因素分析是指研究环境因素是否符合国家环境标准要求,凡不符合的,必须加以改善,以达到国家标准。

（4）整顿的实施方法

①决定放置场所

决定放置场所要考虑放在哪里合适,是否易于归位？具体可参考下列原则。

- 现场需要的东西,要确定其放置的地点（包括宝箱、工器具、工具橱、设备、材料等）
- 依使用频率,来决定放置场所和位置（常用则近,不常用则远）
- 确定并划置安全通道和作业通道
- 保证安全通道的畅通,原则上在通道路面1.8m以内无障碍物,无法避免而临时占用通道时,应放置、悬挂"通道临时占用"的标示
- 限定物品堆放高度,确保其稳定性
- 梯子、出入口、起重机轨道红线内及消防设施、配电箱柜、担架箱前面不允许放置物品（含车辆）
- 确定吸烟、休息场所
- 确定作业车辆及其他交通工具临时停放位置
- 看板要置于醒目的地方,且不妨碍现场的视线
- 危险物、有机物、溶剂要放在特定的地方

②决定放置方法

决定放置方法时要考虑怎么放最安全,效率最高,具体可参考下列方法。

- 大型物品放置时,要充分考虑并有效利用空间
- 同类物品归类放置在同一指定场所
- 物品放置时,尽量与建筑物或标示线保持平行或直角,多个物品放置时尽量排成一排
- 物品堆放应上轻下重,上小下大,易于清点,堆放平稳（易滚动,滑动物品用垫物塞牢,易散落物用绳子捆扎）
- 原则上多层物品堆放高度应该小于1.5 m
- 电线、气管等不能妨碍通行,经过通道时要用过线架等进行架空放置
- 材料、部材等立放时,要用绳子,钢丝绳等捆绑固定,防止倾倒
- 制作适宜作业需要的台车
- 确定电缆线、气管线、工器具整理收纳的方法

● 清扫器具等以悬挂方式放置

③决定放置种类、数量并进行适当标示,也就是要决定放什么,放多少,怎么标示? 一般可依据以下原则。

● 尽可能明确置场内放置的物品的种类和数量

● 尽可能降低现场放置物品的数量

● 对确定的置场、置物架等用标牌、颜色、文字等进行标示,以对其种类、所属或数量等进行区分。

● 尽可能对工器具等根据用途、规格等用颜色来进行标示

(5)整顿活动中应注意的错误行为

整顿活动中要注意,有些错误行为是不可取的,如①刚开始大家摆放很整齐,可不知是谁,从什么时候开始,慢慢又乱了;②标示的方法只有自己看得懂,别人看不懂,识别手法不统一,有和没有一个样;③摆放位置经常变动,今天换一个地方,明天又换一个地方,很多人来不及知道;④一次搬入现场的物品太多,连摆放的地方都没有;⑤废铁箱里不知谁倒了垃圾,实在没办法管;⑥太忙了,省得费时放到置场去了,就放这好了等。

4. 清扫

(1)清扫的目的

清扫是为了保持工作环境的整洁干净,维持整理、整顿的成果,稳定作业及产品质量,延长设备寿命,防止污染环境。

(2)清扫的原则

在清扫活动中应注意以下原则:自己产生的垃圾自己清理,做到不给他人制造麻烦,并且要日产日清,每天作业结束后,将垃圾、杂物等清理出现场。

(3)清扫的对象

清扫的对象有三类,一扫作业中落下物体,称之为扫黑;二扫溢出物体,称之为扫漏;三扫不对劲之处,称之为扫怪。

(4)清扫的实施方法

首先要确定例行清扫的时间和时段,不能影响正常作业,其次要确定废弃物放置区的规划定位,在作业场所内规划并定位设置适量的宝箱(废物箱),并要及时将已放满的宝箱清运出现场。

(5)清扫活动的注意点

①反正到规定的时间要清扫,作业中的杂物可以乱丢;②这些废物不是我们产生的,不关我们的事,让他们来弄;③清扫的对象高度太高,太远,太麻烦,反正组长看不见,于是就不清扫。

5. 清洁

清洁是为了养成持久有效的清洁习惯,维持和巩固整理、整顿、清扫的成果。清洁活动中要注意"三不"原则:不制造脏乱;不扩散脏乱;不恢复脏乱。

清洁的实施方法如下所示:

(1)彻底落实整理、整顿、清扫3S执行情况;彻底执行整理、整顿、清扫3S各种动作;管理监督者身先士卒,主动参与。

(2)设法培养"整洁"的习惯,没有"整洁"的习惯,则地上纸屑、杂物、机器污物就自然地视若无睹,不去清扫擦拭,设备工器具上有污物,也就懒得去点检,而不做点检,设备工器具出现"异常"了也无法察觉,这样会引起现场设备经常出问题而影响生产。

21世纪高职船舶系列教材

ERSHIYISHIJI GAOZHI CHUANBO XILIE JIAOCAI

为培养员工"整洁"的习惯,需进行教育培训,在现场树立6S模范区域等方式使员工因"看不惯脏污"而养成整洁的习惯。

(3)设定责任者。要使清洁工作能长效、持久,必须将责任落实到个人。可根据现场作业情况,划定区域,确定区域统辖6S责任者,并标示在现场最显眼的地方。

另外,在清洁活动中,要注意清洁是为了保持环境的整洁,不是为了应付检查。一些企业经常为了查卫生而搞突击,效果当然不错,可过后谁都不愿意继续维持,又恢复成老样子。其次不能简单停留在扫干净的认识上,以为只要扫干净就是6S,结果除了干净以外,并无其他改善。

6.素质

(1)目的

①塑造守纪律、守时间的工作场所,培养员工遵守已规定的事项的观念。

②养成良好的行为习惯,提高员工的个人修养、审美观,培养良好的兴趣和爱好。

③营造团队精神,培养能维护公司利益,关心同僚的人才。

素质是6S的重心,员工素质不单是6S,更是企业经营者和各级管理监督者所期待的。如果企业里每一位员工都能遵守已规定的事项,都有良好的行为习惯,都能勇于自我检讨反省,为他人(下道工序)着想,为他人(下道工序)服务,都能自觉的考虑并维护公司利益、关怀同僚,都能相互信任,那么,身为经营者或管理监督者一定能够非常轻松地将工作命令及各项管理要求顺畅地贯彻落实下去,并取得成效。

(2)素质活动的实施方法

①继续推动整理、整顿、清扫、清洁4S活动。前4S活动是基本动作,也是手段,主要以此基本动作或手段来使员工在无形中养成一种保持整洁、凡事认真的习惯。通过前4S的持续实践,可以使员工实际体验"整洁"作业场所的感受从而养成爱整洁的习惯,进而能依照已经规定的事项如各种规章制度,作业基准,操作章程等来行动。如果前4S没有落实,则素质活动亦无法达成。

②培养员工良好的行为习惯。第一要让员工注意其自身的仪表、仪态、举止、交谈,以崇尚文明礼貌为荣,第二要形成人人都来做好事的氛围,例如看见物品掉落了,要自发地捡起来;同事有困难,主动伸出援手;发现危险的部位,立即予以处理;发现同事处于危险的位置,给予提醒等等。

③善于发现做好事的员工,及时给予表彰、奖励,对突出的提请公司给予表彰、奖励,树立好的榜样,让全体员工来共同学习,激励人人做好事。

(3)素质活动的注意点

改造人的思想行为是长期而艰巨的,不是两三天的培训教育就能改变人的思想认识,推行一段时间后,可能还会看到许多不如意的地方,这时不能丧失信心,要持之以恒,另外提升员工的素质不是表面上的事情,不能说一套,做一套,要表里如一。

7.规范

工作光有认真是远远不够的,必须讲究作法,只有掌握了正确的方法,才可以保证产品的质量、周期,以及安全。

(1)目的

规范活动的目的是为了培养能够正确作业,掌握规范操作的人才,要使员工养成诚实作业的习惯,不偷工减料、不惊慌失措,这样才能保证安全,保证产品质量。

（2）规范确立的原则

制定各种规范或约束时要考虑对公司的整体管理有帮助,形式要尽可能简洁,易于被员工接受、执行。

（3）规范的实施方法

①共同遵守已确定的规范。规范不只是要求员工执行,管理人员也要身先士卒地执行,以形成一定的氛围。如从步行通道通行,使用正确的设备与工器具,使用的方法也要正确,并按照规范的作业程序作业。

②规范的目视化

目视化的目的,在于让这些规范用眼睛一看就能了解,一般将规范订成管理手册,或制作成图片、标语、看板、卡片等形式,总之什么形式能让员工一目了然,就采用什么样的方式。

③规范的教育培训

要求员工规范作业,首先要对员工进行培训,要让他们了解规范、掌握规范,继而才能执行规范。规范的教育培训可采用多种方式,对新进员工,要进行全面的教育培训,而对老员工一般只进行新订规范的培训,另外各部门、各班组可利用每天晨会、月度恳谈会时间进行6S教育。

④不符合的行为及时给予纠正

见到部下有不符合事项,要当场予以指正,否则部下因没有纠正,而一错再错或把错误当作"可以做"而再做下去。在纠正不符合事项时,尽量说明什么地方不符合,和怎么做是正确的,对严重的、故意的行为不能客气,必要时要进行处罚。

（4）规范活动的注意点

规范活动中要注意将作业基准等规范彻底地教育到每个相关作业者,要让每一个作业者都掌握正确的做法,另外要杜绝不按规范作业的习惯,例如,有些员工认为"我以前都是这么做的,也没有发生什么事",或者认为按规范做太麻烦,没人看见时就不做了,造成规范虽然学了,作业时却按老习惯作业,因而达不到制定规范的目的。

五、推进6S活动可采用的工具。

1. 目视管理

（1）地面画线。即定置管理,如设置安全通道、作业区域、专用置场、休息场所、吸烟点等,明确各区域的功能。

（2）管理看板。如张贴班组管理事项及各种公告、报表等,设置点检表等。

（3）现物标示。如对要分类区分的东西用文字等进行标示,在温度表、压力表等上面刻划最低及最高容许值等。

（4）机器开关标示。如用标牌标示阀门开合状态,用在空调出风口贴纸条的方法识别空调是关着的还是开的等。

2. 颜色识别

（1）现物的颜色区分。如各种设备、工器具、物品等按规定的颜色区分来进行分类识别,使这些东西容易识别,不会搞错。

（2）不符合物的颜色标示。如对巡回检查中发现的要整理撤除的物品,用红色的标记（胶带纸等）来标示,提示从现场撤除。

3. 巡回检查

制定详细的查检表。定期进行巡回检查,共同找出不足之处,然后加以改。查检表的使

船舶工程专业

CHUANBO GONGCHENG ZHUANYE

用有两种,一种是点检用,只记入好或不好的符号;另一种是记录用,记录评鉴的数据。以下为现场6S检查例表。

检查场所:　　　　　　　　　　　　　　　　　　　　　　　　检查者:

对象	内容	分值	得分
要/不要物品的整理	要/不要的物品是否明确区分		
	不要物品处置是否确定		
	作业平台、工具棚、电器箱内或顶部是否放置不要物品		
	墙角、立柱周围是否放置不要物品		
	废物箱中的有用/无用物是否混放,放置位置是否合理,标示是否明确		
物品堆放方法	半成品/材料/工夹具的堆放场所是否有区分,放置场地是否有标示		
	物品堆放是否与建筑物或标志等保持平行或直角		
	是否在梯子/出入口/起重机轨道/配电箱禁放区域内放置物品		
	焊接电缆/氧乙炔皮管拉设是否妥当,有否设置过线架和过线钩等		
	工具棚内物品放置种类/位置是否固定。放置是否整齐,责任人是否有标识		
	危险物品是否定点放置并做标示		
	工具棚/箱等外观是否整洁		
	不急用物品是否有存放期限及理由		
安全通道	安全通道是否确保		
	安全通道是否整洁、有否破损		
	临时占用通道是否有标示		
设备/作业场所	机械设备是否定期清扫		
	作业平台是否有油类泄漏/沾污		
	焊丝盘/纸片/保护器具/砂轮片/电焊条等是否随意丢弃		
	临时动力线布设位置是否妥当		
	车辆(含自行车)是否停放在指定场所		
消防设备	消防栓/灭火器/救生物前是否放置物品		
	灭火器放置位置四周是否有醒目标示		
人	服装、仪表、行为、言谈等是否良好		
	是否按正确规范作业		
标识	吸烟场所是否有明确标示		
	是否有陈旧/破损/不符的标示		
合计			

4. 摄影拍照

对日常巡回检查、定期巡回检查中发现的6S不良处进行摄影拍照,反馈给相关责任人员予以改善。另外,这些摄影摄像资料还可以作为培训教育资料。

第四节　设备管理

为提高造船效率,缩短周期,现代造船目前都已采用分段建造方式。分段总装时应需要各种重型运输设备和起吊设备,除此以外,建造船舶还需要各种电焊机、切割机、车床等等。总之,现代造船技术越来越依赖于设备,造船设备与造船技术的关系日益密切。如何延长设备寿命,增加设备完好率,充分提高设备的利用效率,增加设备的利用价值,同时把设备的维护成本降到最低水平,已经成为现代造船的一个课题。传统的设备管理和维修体系,需要大量精通设备的专业技术人员对设备进行保驾护航,这种管理模式常常顾此失彼,造成设备管理和生产管理的不协调。而现代造船模式要求船厂的全体员工都来参与设备的管理和维护,由精通设备的专业技术和管理人员,把大量设备管理的工作制定成各项设备管理制度和设备点检保养计划,教育和培训设备操作者和使用者熟练掌握设备的点检方法,熟悉设备的维护保养规程,承担大量日常或定期的规范的设备维护和保养工作,做到谁用设备谁维护,谁用设备谁保养,放手让生产基层单位自主管理设备,把设备管理活动与生产计划同时安排,使设备管理与生产管理实现了高度的统一。这种设备管理模式,不仅大大减少了设备的专业管理人员,同时还大大降低了设备维护的成本,提高了设备的使用周期寿命和船厂设备管理的整体水平。

一、设备管理的目的与作用

设备管理的目的是为了充分利用设备提高企业效益,同时保障设备使用者的生命安全。设备管理对于生产有以下几个方面的作用。

1. 提高生产效率

完好有效的设备可以提高生产效率,有利于在规定的时间内完成规定数量的产品,是保证造船生产计划顺利完成的必要条件。如果设备经常发生故障,就会影响生产效率,延误造船周期。

2. 保证质量稳定性

完好有效的设备可以确保产品质量的稳定。产品质量不稳定会导致检查成本增加,同时还会出现次品,引起生产成本增加,无法保证生产数量要求,从而降低生产效率。时间长了,还会失去客户对产品质量的信任。

3. 降低生产成本

完好有效的设备可以排除因设备故障引起的停工损失,有利于控制生产成本。同时加强设备管理,改善保养方法,可以防止设备老化,延长设备寿命,保证设备的加工效率,从而降低设备维修成本。

4. 确保安全性

完好有效的设备可以确保造船生产的安全。随着造船自动化设备和大型设备的不断采用,造船生产越来越依赖于设备,在将原材料转化为产品的过程中,人对设备的熟练操作和精心维护越来越重要,因此,对于设备误动作或人误操作引发的事故,越来越成为设备管理的重点。

二、设备管理的方法和要求

全员设备管理要求谁使用谁维护,因此员工不但要熟悉设备、了解设备、正确使用设备,还要对所使用的设备进行日常的维护和点检工作。

1. 熟悉设备性能、使用方法和安全操作规程

员工在使用设备前,必须经过培训,了解设备的构造、性能和特点,熟悉设备的使用方法和操作规程,没经过培训合格的员工不允许上岗操作不熟悉的设备,以保证在操作设备时不发生设备故障和事故。严禁员工在不了解设备性能的情况下盲目操作设备。

2. 明确设备操作责任人

持有相应操作证的人员才可被指定为设备的操作责任人。有些大型设备,如起重机、平板车等,属于特种作业范畴,还必须持有国家有关部门颁发的特种作业资格证才可以操作。一般情况下,最好有专人管理和操作设备;不能保证有专人操作的设备,也要指定专人管理,严禁出现只用不管的现象。并且在指定设备操作责任人后,还要明确其职责,制定设备的具体管理规定。对于那些铲车或高空作业车等多人使用的设备,可以按片指定专人统一管理,前后操作者之间一定要做好设备交接使用记录。设备管理不到位,只用不管,很容易使设备处于危险的失控状态。

3. 制定设备保养制度

设备使用过一段时间使用后,会发生腐蚀、磨损、裂纹等,同时由于设备受振动、尘埃和温度的影响,性能会下降,从而引发故障。因此,为确保设备的安全性,使设备始终保持完好有效的使用状态,需要制定设备的日常维护保养规程,要求员工在日常的生产活动中,要定期对设备进行清洁保养和检查。

三、设备管理的点检制度

为了提高设备的使用寿命,保证设备始终处于完好有效的状态,船厂必须对设备建立点检制度,对设备进行定期的例行检查,以便在早期阶段发现设备磨损等各种异常状态,及时对设备进行维护保养和零部件更换。

1. 建立设备点检制度

点检制度就是实行设施设备和工装夹具的预防性检查,即在作业前和定期对设施设备、工装夹具进行点检,保障设施设备、工装夹具的安全可靠,防止由于设备状态不安全性而造成人员伤害。点检的目的是确保设备的安全性和完好性,船厂要充分认识到点检工作的重要性,必须把点检工作列入年度的设备管理计划中去,作为全员设备管理的一项重要内容。

(1)要确定设备点检的责任人。不管是操作者自主点检,还是设备部门定期点检,都必须安排经过培训、精通设备构造性能、掌握使用方法和熟悉设备状况的人员进行点检,确保设备检查准确无误。

(2)明确点检内容和点检方法。由于点检内容和点检方法不同,点检结果也会不同。正确的点检内容和点检方法是正确评价设备状态好坏的基础。因此,要设计和制定规范的点检表,明确点检的必要事项,方便设备点检工作,同时提高点检工作效率。点检表是点检工作的指南,在点检工作时,发现危险情况,必须记录在点检表备注栏内,及时安排处理。正确的点检方法不但能够准确判断设备的状态,而且还可以保证点检人员和其他作业者的安全。设备点检方法不当会引发安全事故,因此必须制定并教育点检人员掌握正确的点检

方法。

(3)设定点检周期。不同的设备,或相同设备使用时间和使用次数不同,其腐蚀和磨损程度也不同。因此,必须根据点检的对象不同,制定不同的点检周期。如每天使用前检查设备是否正常,叫做"日常点检";一个月检查一次,叫做"月度点检";设备全部彻底一年一次的大检查,叫做"年度点检"。对于特殊设备可以设定特殊的点检周期,有法定检验的设备必须遵循法定点检周期。特殊情况下,也应对设备安排特殊点检。如地震后,一般指烈度3级以上,应该对设备进行特殊点检。

2.问题设备整改

点检可以提前发现隐患,根据点检的结果,对设备的不安全和不良状态必须进行整改,及时更换不良部件,控制故障率,提高设备的完好有效率水平,确保设备安全可靠。

(1)确定整改方法。

整改措施分成两种,一是对症进行修补,改善设备状态;二是彻底根除问题发生原因。彻底根除问题的发生原因常常需要技术和资金的投人,并且需要停产整改,所以要确定合适的时间,整改时可以请设备厂家一起寻求解决办法。

(2)确认整改结果。原则上由本部门领导或上一级管理部门派员确认设备整改的结果。对于一些重要的整改项目,还要经过安全部门的确认。

(3)点检和整改结果的保存。船厂应该建立设备管理的档案,对每一台设备的点检和整改结果都应该进行整理,并存档。这些点检和整改的材料,可作为设备点检工作的参考数据。对于一些容易发生故障的部位,可以经常跟踪,使点检工作更有针对性。档案内容应该包括,检查时间、检查方法、检查仪器、检查部位、检查结果、检查者姓名、整改措施等,一般保存3年以上。

3.点检注意事项

(1)要认真听取设备使用人员对设备使用情况的介绍。

(2)认真执行规范的点检方法。

(3)重点检查以前发生过事故的部位,确认事故原因有否排除。

(4)发现设备的不安全或不良状态时,应该对其他同类设备进行对比复验,确定是个别现象还是普遍现象。

(5)设备整改不是简单的消除不良现象,必须调查、研究发生问题的原因,采取根本对策,必要时可以对设备进行彻底改造。

(6)特别注意那些问题细节,因为细小问题常常引发重大事故。

4.点检计划

船厂的设备修理计划和设备点检保养计划必须要与生产作业计划统筹安排,作为船厂总体生产计划中不可缺少的重要组成部分。一般情况下,月度和年度的点检内容是日常点检无法进行的项目,这些定期点检常常需要停机进行,检查时间常常需要半天或一天,甚至几天。定期点检时,作业者无法使用设备,因此生产部门必须事先在作业计划中安排出点检的时间,确保设备点检保养制度的顺利实施。如果一味地重生产轻维护,使设备不能进行正常地维修和保养,就会产生事故隐患,使原本很小的毛病转化成为故障,最终酿成重大的设备和人身安全事故。

21世纪高职船舶系列教材

ERSHIYISHIJI GAOZHI CHUANBO XILIE JIAOCAI

四、设备故障诊断技术

常用的设备故障诊断技术主要是通过人的感官来进行检查,利用人的眼、耳、鼻和手来主动感知设备的状态,找出不安全或不良的现象,为早期发现设备故障提供保证。

1.振动噪音诊断。设备的振动噪音可以通过人的感官进行感觉,利用人的眼、耳、手可以最直接地感受到设备的异常振动和噪音。现在对于轴承、齿轮和泵等机械设备已经发展到利用振动针和噪音针等专业分析仪器来进行测量。

2.温度诊断。对于一般的机器,温度是故障或异常现象的重要检查指标。比如油压系统中的油温上升,会导致油的早期酸化,有时候还会发生油的黑化现象,等等。

3.油污染诊断。油中所含的磨损粉末、砂粒、尘埃、水、空气等会导致油变质,是导致机器或系统动作不良或磨损加速的直接原因,在修理、点检或补充油量不足时,应防止在油压系统中混入污染物质。设备点检应该定期检查油中污染物质的含量,使油的清洁度始终保持在正常水平以上,这样可以防止机器因磨损而老化,减少故障发生率,同时根据油中所含的金属粉末的材质和数量,可以知道机器磨损的部位,然后根据磨损程度计算出零部件更换或安排修理的时间。

4.润滑诊断。设备的润滑状态不好,也会导致磨损增加,加工精度不良。因此,设备的润滑状态也应该经常检查。

5.腐蚀诊断。设备的早期腐蚀,是设备故障的先期征兆,腐蚀会导致设备结构的强度下降。特别是腐蚀表面,容易掩盖更加可怕的应力裂纹,腐蚀到一定程度以后,设备会突然发生故障。

6.气味诊断。电气设备有烧焦味时、润滑油发出特殊臭味时、设备车辆排出异味时,都预示着设备故障的来临。

7.颜色诊断。颜色的变化最易被人察觉。油压系统油的颜色开始浑浊、排气管的颜色开始发黑或者夹杂着烟尘,都意味着设备故障的来临。

8.变形诊断。所有外力或内应力导致的设备结构的异常变形,都应该引起高度重视。如果不及时进行处理,可能会导致重大设备故障。

五、设备防冻防热

船厂与其他制造企业的最大区别是露天作业多,因此室外设备所占的比重较大。室外环境对设备影响较大,特别是在寒冷的冬天和酷热的夏天,温度对设备的影响非常巨大。如果不能进行有效管理,就会造成设备故障不断,甚至使设备无法正常使用。

1.设备防冻工作。冬季的环境温度低,要防止液体冻结影响设备正常使用,因此有必要对重大设备进行防冻处理。船厂的重点防冻设备有等离子切割机、火焰切割机、油压机、辊道、车辆等。

对于切割机来说,要随时注意防止水的冻结影响生产。不用时应该及时吹除进水端至枪头的积水,使用时要始终保持水路畅通,必要时可以使设备始终处于通电状态。

对于油压设备来说,液压油一般不会冻结,因为液压油的冻结温度是摄氏零下9度。但是在环境温度低于零度时,操作人员也应该在开机后空转一段时间,确认无异常声音和异常情况后再正常使用,要防止夜间温度过低时可能造成的冻结。

对于辊道等有减速箱的设备来说,其润滑油应该在每年入冬前更换成较稀的防冻润滑

油,然后在来年开春再更换成较稠的润滑油。如果冬天开机时发生电动机打滑现象,应立即停止操作,检查减速箱内的润滑油是否冻结。如果冻结,可以用开水浇注使减速箱解冻后再开机使用。

对于车辆来说,冬天应该采用黏度较稀的润滑油;对于燃料,冬季可用负10号柴油,夏季可用0号柴油;燃料应该尽量加满油箱,以防止油箱中的空气水分凝固冻结生锈,造成启动困难;经常打开油箱排污阀,排出水分,防止燃料中水分冻结;蓄电池应该保持完全充电状态,以防气温过低造成蓄电池电量下降;补充电解液后应该及时充电,以防电解液比重低时冻结(电解液密度在1.20以下,气温在摄氏零下20度以下时会冻结,一般应保持电解液比重在1.26以上);当气温在摄氏零度以下时,应在冷却水中加人防冻液,对于冬天不使用的车辆,应将冷却水全部排出。

2.设备防高温工作。由于夏季气温高,水分散失快,因此用水降温的设备应该经常检查水量,防止设备亏水,引发设备冷却不良;夏季如设备水箱水量不足时,应等水箱温度下降后再添加水,千万不可立即打开水箱盖,以防高压蒸汽喷出,造成伤害;夏季的燃油和润滑油应该更换成适合高温季节使用的型号,并经常检查液量;夏季的车辆类设备应防止轮胎爆胎,不要将气打得太足或长时间暴晒;夏季轮胎温度或胎压过高时,不可采用泼冷水或放气的方法来降温降压、或走涉水路段降温,应选择阴凉处停车休息,让胎温自然下降,恢复正常胎压;蓄电池在高温下会加快放电,因此要避免阳光直射。

第五节　人员管理

安全管理有两个基本对象,一个是物,一个是人,这两者都处于安全状态,才能保证安全。本节主要阐述对人员的管理,以使其达到安全状态。

一、作业方法研究

对于同一个操作,不同的人、不同的习惯,采取的作业方法和顺序都可能不同,作业方法研究也就是找出效率最佳、成本最低、最安全的作业方法,并将它传达到相关的每一个操作者,以确保安全高效地工作。作业方法研究必须立足于本厂的设备、工艺、技术能力,把工人的操作分解为基本动作,选择最适用的工具、机器,确定最适当的操作程序,再对尽可能多的工人测定完成这些基本动作,同时消除错误的和不必要的动作,得出最有效的操作方法作为标准。

二、危险预知

在安全培训和教育实践过程中,要提高员工的安全意识,让员工懂得怎么做是安全的。首先要让他们认知危险。船厂可以开展"危险预知训练活动",提高员工对危险的感知能力。"危险预知训练活动"可以用不安全状态、不安全行为的图片来分析现状、找出危险、确立对策,其次由班组或员工自身确定安全的行动目标,逐步培养员工对危险的认识,以及作业前预知危险的行为习惯。例如船厂可以开展"作业前5秒危险预知活动",让作业者养成习惯,在作业之前,暂停5秒,预知危险,确认安全后再进行动作。又如,船厂可以编写"危险预知实践指南",用大量的图片和实践案例指导员工掌握和运用"危险预知"的方法。

三、心理和生理安全预防

安全管理要充分考虑人的心理和生理特点。例如,船厂经常会有一些作业量很少的场合,仅有一些零星的作业,如跟踪补涂等,因此有些员工由于存有偷懒和侥幸的心理,在攀爬分段时常常不采取安全措施,存在明显安全隐患。因此,在加强教育的同时,船厂可以设计轻便、易固定的直梯,并将架设梯子作为作业任务的具体内容,消除作业者由于偷懒心理而造成隐患的可能性。又如,密闭和狭窄舱室内的焊接作业,在夏季高温时,非常容易发生中暑而引起事故,大大影响作业效率。船厂可以在现场配置大型移动空调,对这些区域进行强制降温和通风,或配置便携式小空调器,改善人的生理适应作业环境的能力,从而保证高效作业。

四、危险经历报告

船厂应该建立危险经历报告制度,并对危险经历报告人员实行奖励制度。员工自觉报告危险经历,不管是物的原因,还是自己违反了安全规则,不但不给予批评,还要进行奖励,以此激发员工报告危险经历的积极性。员工应该逐级上报危险经历,并通过班组长、科长直至安全部门的分析,落实事故防范措施,以此减少危险经历的发生数量,减少安全隐患,减少轻伤事故发生率,从而有效遏制重伤以上事故的发生,把不安全的因素扼杀在萌芽状态。

五、日常培训

要让员工懂得怎么做安全,需要在管理中不断对员工进行培训。比如每天早上的晨会制度,要求由班组长对员工进行当天作业的安全提醒,将有关的安全指令及时传达给作业者,还可以针对当天作业的安全要点进行集体回顾。同时,还可以让员工直接参加安全巡回检查活动,请员工亲自参加安全管理活动,发现问题,指出问题。

第七章 计算机辅助造船生产管理概述

第一节 国内外典型的软件系统介绍

随着计算机的普及,造船软件的不断开发应用,造船企业正发生着重大的变革,建造成本降低、造船周期缩短、船舶产品质量提高等。

目前国内外典型的生产管理软件有 CIMS、大宇信息系统 BES/MARINE、HANA – Pro CIMS、MARS、AVEVA 等等,这些软件已经在船厂得到应用。

造船计算机集成制造系统(CIMS)概念,最初是由美国人提出,在造船中的应用和研究始于 20 世纪 80 年代。1998 年,为加快 CIMS 在造船中的应用进程,日本运输省成立了高技术调研会,与日本研究协会一起,联合造船企业共同研究 CIMS。如日本川崎重工船厂是 CIMS 较成功的企业。它采用了自下而上,逐步扩展的发展模式,即在自动化生产设施的基础上,逐步建立与底层关系紧密的上层系统,然后将它逐个集成,在此基础上再进一步与对上层信息系统进行扩充,形成完整的 CIMS。

CIMS 是一种组织、管理和运行现代制造类企业的理念,它将传统的制造技术与信息技术、管理技术、自动化技术、系统工程技术等有机结合,使企业产品全生命周期各阶段活动中有关的人/组织、经营管理和技术三要素及其信息流、物流和价值流三者有机集成并优化运行,以达到产品上市快(T)、高质(Q)、低耗(C)、服务好(S)、环境清洁(E),进而提高企业的柔性、健壮性、敏捷性,使企业赢得市场竞争优势。

大宇信息系统 BES/MARINE 的开发商,原是大宇集团的 IT 服务部门,后成为独立的 IT 公司,在韩国上市;业务包括系统集成、IT 外包、信息通信、电子商务解决方案及 IT 基础建设等。

目前有大宇造船海洋株式会社、罗马尼亚造船厂、中国烟台造船厂在用此系统软件。

软件功能模块有生产管理、生产计划、设计、人事/财务、成本、质量、设备、物资。

BES/MARINE 基于 Internet 和 J2EE,开放性较好;功能模块较完整;可以提供韩国造船流程变革咨询;设计、物资、计划连接紧密;以合拢工程为中心的先行/后行优化计划系统,符合即时生产要求;大、中、小日程计划完备。

BES/MARINE 不足在于该公司业务涉及许多其他非制造行业,业务面太广,在船舶行业的成功案例有限;在我国尚未有实施范例;实施过程中二次开发量尚未可知,难以估算实施成本;在国内没有与之匹配的本土咨询人员,后期升级维护保障性不明确;韩国造船模式的全盘引入是否合适中国造船模式还未可知。

HANA – Pro CIMS 主要应用领域:造船行业的工程、设计、管理一揽子解决方案。在船舶行业主要应用客户有上海外高桥造船。

软件功能模块有公共信息、生产管理、设计管理、物资管理、物流管理、质量管理、自动设计系统、销售管理系统、车辆管理、分段管理移动、预算和成本管理、问题估算/解决、决策支持、设备维护。

HANA – Pro CIMS 针对造船流程,专业性强;已在外高桥造船应用,有案例可寻;造船流程覆盖全面,各模块之间衔接紧密;是借助信息系统梳理和推进造船模式转变的较好工具;软件中所包含的先进管理思想丰富。

但各模块对基础数据的依赖性强,对基础数据要求严格;对业务流程的精细度、准确度和规范性要求高,需要企业做全方位、大范围、高强度的业务流程、组织变革;需要有 Hana 咨询人员强有力的介入及辅助流程重组,对实施队伍的流程变革推进能力要求高,在咨询方面投入巨大。

MARS 的开发商是 Logimatic,成立于 1987 年,主要针对船厂、船东、海事局提供信息技术服务,是船舶市场领先的 ERP 方案提供商。

应用领域主要针对船厂、船东、海事局等,为其提供信息技术服务,也延伸到其他重工业领域。

MARS 目前已应用于商船、海军及修船厂,船型包括超大型油轮(VLCC)、集装箱船、游轮、液化天然气(LNG)船、汽车滚装船、特种船、海军舰船等。

软件功能模块:物资与物流、生产现场管理、生产计划、报价、采购、质量控制、项目预算和成本。

MARS 针对造船流程,船厂用户较多,业务专业;模块专注于物资、计划、生产管理;功能明确简单,对企业流程的调整幅度与范围较小;支持 TRIBON、FORAN、AUTOCAD 等 CAD 系统;模块可塑性较好,支持信息量由小到大的增加;可以允许任务分段和任务包的灵活定义。但在国内尚未有实施范例,系统未完全汉化。

AVEVA 集团作为目前全球最大、发展速度最快的工厂工程信息技术企业之一,1967 年由英国剑桥大学的创新技术专家创立,成为了工厂及造船工程软件领域的全球领袖。

2007 年 11 月 26 日,AVEVA 在上海发布其最新的产品组合 AVEVA Marine。这项最新产品组合包括一系列的设计工具,可用作开放式产品生命周期管理(PLM)解决方案。AVEVA Marine 结合了两项最佳的解决方案即行业通用的 Tribon 及 AVEVA 独特的以对象为中心的技术和设备设计应用软件,形成了最终的船舶设计和生产工具组合。AVEVA Marine 支持从概念生产、设计、生产、船舶维护、改造翻新到退役的整个生命周期的所有阶段。AVEVA Marine 是一套完整的设计和生产应用程序,并与开放和可变的生命周期管理解决方案相集成。它支持超大型,复杂性船舶及海洋平台的设计与生产。并为客户提供快速、高效、无风险的设计、建造运作方式。

第二节 计算机辅助造船生产管理软件的应用

为了提高造船生产能力和生产效率,缩短设计建造周期,提高资源利用率,进一步降低生产成本,关键是要提高设计和生产的管理水平,采用现代企业管理思想,借用信息技术手段,开发和实施企业资源计划(ERP)系统。用科学的方法去合理安排设计计划、物料需求计划、生产计划、采购计划、劳动力计划、资金流动计划等,以计划为主线组织设计、生产活动,实现有节奏地均衡生产。国内有些企业虽然开发了一些用于局部管理的系统,但由于管理思想的滞后和各系统间的集成度低,使得信息化的整体效益没有得到充分体现。因此,借鉴国外先进造船国家的管理经验,开发和实施造船设计和生产的管理信息系统,提升造船管理水平,是迫切需要解决的问题。在此主要介绍 CIMS 系统在船厂中的应用。

CIMS 是一种基于 CIM(计算机集成制造)理念构成的信息化系统。不同时期、不同企业的 CIMS 系统的集成范围不尽相同。随着信息技术的发展和应用方式的改进,CIMS 系统的集成范围与内涵也在不断发展。

经过对德、日、韩等国 CIMS 系统的研究,目前典型的现代造船 CIMS 系统可以归纳为:以"规范管理、标准设计、信息集成共享"为标志,运用信息技术,以生产计划和成本控制为主线,通过"统一管理标准,统一管理流程,统一数据处理,统一资源平衡",将造船过程中所需的人、财、物、设计及制造等信息融于一个软件系统中,把静态、孤立的信息资源变为可共享的信息资源。通过迅速有效地反馈有关信息,加强协同作业,合理安排人力、财力、物力资源,缩短造船周期,提高产品质量,降低造船成本。CIMS 已在外高桥得到应用。

实施 CIMS 有八方面工作:业务流程、组织结构、岗位固化、作业标准、人力资源、数据准备、软件系统和全员培训。其中任何一项没做好,都会影响实施效果。除软件系统外,其他七方面工作都需要从企业实际出发,根据 CIMS 要求来创造性地开展相关工作。

中国几大造船厂应用 SCIMS 的情况:

(1)广州造船厂的 GSI2SCIMS 就是要建立一个以公司造船业务为主体,以船舶产品为对象,以设计信息、生产管理等信息为核心,以生产设备、网络设备等为依托的,集船舶 CAD/CAM、物资管理、质量管理、财务成本管理、办公管理等系统一体化,而开发应用的船舶计算机集成制造系统。据统计,GSI2SCIMS 实施工程以来,造船年产量有了大幅度提高,由原来的年产 6 ~ 7 艘提高到年产 9 ~ 10 艘船,产值由原来的 13 亿增加至 18 亿人民币,造船周期由原来的 24 个月缩短至 20 个月左右。

(2)沪东造船集团的 HDS2SCIMS 工程于 1997 年开始论证,1999 年被列入上海市科技发展基金项目,HDS2SCIMS 是由现代造船模式和 HDS2CIMS 软件组成的。据统计,实施 HDS2SCIMS 以来,已有了初步的应用效益。产品设计周期缩短了 30%、产品建造周期缩短了 28%、提高了产品质量、提高了造船生产效率、降低了材料消耗,提高了企业的市场竞争力、占有率。

到 20 世纪 90 年代中期,日本大型船厂 CIMS 技术已实用化,在 CIMS 技术使用后,节省人工 50%,缩短工期 20%,1998 年开始向中型船厂推广。而韩国也于 1997 年在大型造船厂采用了 CIMS 技术,到 1999 年,韩国的中型船厂也基本应用了 CIMS 技术。他们的重点主要放在车间层设备的信息集成上,在技术方面,特别强调"高度自动化",使制造车间成为"无人化工厂"。

计算机技术的发展使得现代企业中计算机技术资源在企业生产经营所需的所有资源中占有的比例越来越大,起着不可替代的作用,目前,随着我国船舶工业的发展,SCIMS 的实施将会使造船这个劳动密集型产业朝着知识密集型转变,使我国的造船工业迈上一个新台阶。

21世纪高职船舶系列教材
ERSHIYISHIJI GAOZHI CHUANBO XILIE JIAOCAI

第八章　管理技能

工程管理人员要组织工人、技术人员进行生产活动,必须具备处理人际关系能力,要善于和他人共事,调动他人的工作积极性,协调众人的活动。在与各方面人员进行有效沟通的基础上,相互合作,共同完成组织目标。人际技能对于高、中、基层管理者来说都是同等重要的。

第一节　领　导

一、领导的内涵

1. 领导的含义

领导的含义是"领而导之",是率领、引导,即带领前进。从管理学意义上讲,领导是指领导者依靠影响力,指挥、带领、引导和鼓励被领导者或追随者活动,努力地实现既定的组织目标。在日常用语中,领导往往被等同于领导者,而事实上这两者是不同的概念。领导是一种社会活动(职能),特指领导者的角色行为,即对他人施加影响力,使之致力于实现预期目标的活动过程。而领导者是一种社会角色,特指领导活动的行为主体,即能实现领导过程的人。领导也不同于管理,在管理学中所说的管理是一个宽泛的概念,是指为实现目标而对整个组织施加影响的全部行为或过程,而领导只是管理中的一个职能。

2. 领导的实质

领导实质上是一种对他人的影响力,领导的过程就是通过人与人之间的相互作用,使被领导者能义无反顾地追随他前进,自觉自愿而又充满信心地把自己的力量奉献给组织,促进组织目标的有效实现。

3. 领导的手段

领导的手段通常有三种。(1)指挥。指挥是指管理者凭借权威,直接命令或指导下属行事的行为。指挥的具体形式有部署、命令、指示、要求、指导、帮助等。指挥具有强制性、直接性、时效性等特点,是管理者最经常使用的领导手段;(2)激励。激励是指管理者通过作用于下属心理来激发其动机、推动其行为的过程;(3)沟通。沟通是指管理者为有效推进工作而交换信息,交流情感,协调关系的过程。

二、领导者的影响力

影响力是指一个人在与他人的交往中,影响和改变他人的心理和行为的能力。领导的影响力即权威,主要来自两方面,一是与职权相联系的权力称为职权性影响力,二是与威信(非职权)相联系的权力称为非职权性影响力。

1. 职权性影响力

职权性影响力是由领导者在组织中所处的地位赋予的并由法律、制度明文规定的影响力。这种影响力是由外界附加的,与职位有关,职位地位的高低决定其大小。

（1）职权性影响力的构成

①法定权。法定权是指管理者由于占据职位,有了组织授权而拥有的影响力。被管理者会认为理所当然地要接受管理者的领导。

②强制权。强制权是指管理者由于能够决定对下属的惩罚而拥有的影响力。下级出于畏惧的心理而服从领导。

③奖赏权。奖赏权是指管理者由于能够决定对下属的奖赏而具有的影响力。其下级为了获得奖赏而追随或服从领导。

（2）影响职权性影响力的主要因素

①传统因素。在长期社会生活中,人们形成了一种传统观念:认可组织与职位的权威性,对上级必须服从。由于这种传统观念从小就影响着每一个人的思想,从而增强了领导者言行的影响力。

②职位因素。由于领导者凭借组织所授予的指挥他人开展具体活动的权力,可以左右被领导者的行为、处境,甚至前途、命运,出于趋利避害的心理,被领导者会追随与服从领导者。

③资历因素。一般而言,人们对资历较深的领导者,心目中比较尊敬,其言行也容易在人们的心灵中占据一定的位置。

2.非职权性影响力

非职权性影响力是指由于领导者的个人经历、地位、人格、特殊品质和才能而产生的影响力。它不是外界附加的,而是产生于个人的自身因素,与职位没有关系。

（1）非职权性影响力的构成

①专长权。专长权是指管理者由于自身具有业务专长而拥有的影响力。下级会出于对管理者专业知识与能力的信任与佩服而服从领导。

②表率权。表率权是指管理者率先垂范,由其表率作用而形成的影响力。管理者的思想境界、品德修养能赢得被管理者的敬仰,下级会出于敬佩而追随与服从。

③亲和权。亲和权是指管理者借助与部下的融洽、亲密关系而形成的影响力。

（2）影响非职权性影响力的主要因素

①品格。领导者的优良品格能深深地吸引下级,使人模仿,从而带来巨大的影响力。

②才能。被领导者出于对领导者的业务专长与决策正确性的信任,而自愿服从与追随领导者。

③知识。知识丰富的领导者,容易取得人们的信任,并使人们由此产生对他的信赖感和依赖感。

④感情。当被管理者与管理者之间建立融洽亲密的感情时,被管理者就会发自内心地愿意追随与服从。

由品格、才干、知识、感情因素构成的非权力性影响力,是由领导者自身的素质与行为造就的。在领导者从事管理工作时,它能增强领导者的影响力。在其不担任管理职务时,这些因素仍对人们产生较大的影响。由于这种影响力来源于下属服从的意愿,有时会比职位权力显得更有力量、更持久。

三、领导方式及理论

1. 领导特质理论

特质理论是最古老的领导理论观点。领导特质理论认为领导者的品质是天生的、超人

的,是遗传因素决定的。该理论着重研究领导的品行、素质、修养,目的是要说明好的领导者应具备怎样的素质。

对于领导者的特质要求,在不同文化背景、不同国家的企业组织中有所不同。这是特定社会文化的产物,最富有代表性的是美国式的管理和日本式的管理。根据资料,表8-1对比分析了美国和日本的企业对他们领导者的素质要求,我们可以从中看出二者的差异和相同点。我国学者也曾对我国大中型企业的高层领导者的素质要求进行问卷调查,调查结果如表8-2所示。

表 8-1　美国、日本企业对领导者的素质要求

顺序	日本		美国
	品德	能力	
1	使命感	思维决定能力	合作精神
2	责任感	规划能力	决策能力
3	依赖性	判断能力	组织能力
4	积极性	创造能力	授权能力
5	忠诚性	洞察能力	应变能力
6	进取心	劝说能力	勇于负责
7	忍耐性	对人理解能力	创新能力
8	公平性	解决问题能力	敢担风险
9	热情	培养下级能力	尊重他人
10	勇气	调动积极性能力	品德超人

表 8-2　我国对企业领导者的素质要求

顺序	领导者的素质类别	百分比
1	组织能力和决策能力	97.5
2	责任感、事业性和进取心	90.2
3	求知欲和创新精神	68.4
4	知人善任、开发人才、合作精神	46.3
5	一定的专业知识和知识广度	39.0
6	敏锐的观察力和全局思考能力	31.7
7	大公无私、品德端正	29.3
8	应变能力和分析、解决问题能力	27.1
9	处理人际关系能力	19.5
10	适应环境、协调和平衡各种关系能力	14.6

由于不同的环境,对合格领导者提出的标准是不同的。对于领导者应当具有哪些特性,不同的研究者得到的结论并不相同,因此很难确定几条完全统一的公认特性。但领导特质理论系统地分析了领导者所应具有的能力、品德和为人处事的方式,向领导者提出了要求和希望。

2. 领导行为理论

领导行为理论侧重于研究领导者的行为及其对下属的影响,以期寻求最佳的领导行为。

它关心的两个基本问题是领导者应该做什么和怎样做才能使工作更有效。

领导行为可以有不同的方式、形态或作风、风格。领导风格的差异,不仅因为领导者的特质存在着不同,更由于他们对权力运用方式及对任务及人员之间的关系有着不同的理解、态度和实践。因此,领导行为理论包括基于权力运用的领导风格理论和基于态度与行为取向的领导行为理论。

(1)基于权力运用的领导风格理论。领导风格理论是研究领导者工作风格类型及其对职工的影响,以期寻找最佳的领导作风。领导风格理论的创始人是社会心理学家勒温他以权力定位为基本变量,把领导者在领导过程中表现出来的极端工作作风分为三种类型。

第一种是专制作风,又称集权型,权力定位于领导者个人。专制作风的领导方式的主要特点是独断专行,从不考虑别人的意见,所有的决策由领导者自己作出;领导者亲自设计工作计划,指定工作内容和进行人事安排,从不把任何消息告诉下属,下属没有参与决策的机会,而只能察言观色、奉命行事;主要靠行政命令、纪律约束、训斥和惩罚来管理,只有偶尔的奖励;领导者很少参加群体活动,与下属保持一定的心理距离,没有感情交流。

第二种是民主作风,又称民主型,权力定位于组织中的群体。民主作风的领导方式的主要特点是所有的政策是在领导者的鼓励和协助下由群体讨论决定的;分配工作时尽量照顾到个人的能力、兴趣,对下属的工作也不安排得那么具体,下属有较大的工作自由、较多的选择性和灵活性;主要以非正式权力和威信,而不是靠职位权力和命令使人服从,谈话时多使用商量、建议和请求的口气;领导者积极参与团体活动,与下属无任何心理上距离。

第三种是放任自流作风,又称放任型,权力定位于组织内的每一个成员。放任自流作风的领导方式的主要特点是工作事先无布置,事后无检查,一切悉听尊便,毫无规章制度,实行的是无政府管理。

勒温认为,放任型领导方式工作效率最低,只达到社交目标而完不成工作目标;专制型领导方式虽然通过严格的管理达到了工作目标,但群体成员没有责任感,情绪消极,士气低落,争吵较多;民主型领导方式工作效率最高,不但完成工作目标,而且群体成员之间关系融洽,工作积极主动,有创造性。

(2)基于态度与行为取向的领导行为理论。基于态度与行为取向的领导行为理论中最有影响的是四分图模式、管理方格模式、管理系统模式等三种领导行为理论。下面主要介绍管理系统模式。

管理系统模式将领导方式归结为四种系统,即专权独裁式领导、温和独裁式领导、协商式民主领导、参与式民主领导。并认为具有高度成就的部门的领导人大部分均靠近系统4,领导效果最好;而成就低的部门的领导人则靠近系统1,如表8-3所示。

表8-3 伦西斯·利克特的管理系统

		系统1 专权独裁式领导	系统2 温和独裁式领导	系统3 协商式民主领导	系统4 参与式民主领导
上下关系	信任程度	对下属无信心,不信任	有主仆之间信赖关系	上下之间有相当的但不完全的信任	有完全的信任
	交往	极少交往,或交往在恐惧和不信任下进行	交往在上司屈就、下属恐慌的情况下进行	适度的交往,并在相当信任下进行	深入友善地交往,有高度的信赖

船舶工程专业 CHUANBO GONGCHENG ZHUANYE

表 8 - 3（续）

工作激励	沟通程度	上下意见不沟通	有一定的沟通	比较沟通	上下左右意见完全沟通
	奖惩程度	恐吓、威胁和偶尔的报酬	报酬和有形、无形的惩罚	报酬和偶然的惩罚	优厚的报酬，启发自觉
	参与程度	下属极少参与决策	决策上司制定，授予下属部分权力	重大决策上司制定，下层对具体问题有决定权力	下属参与决策，低层完全参与控制

3. 领导权变理论

领导权变理论，又称领导情景理论或领导处境理论，主要是探讨各种情景因素怎样影响领导者素质和行为与领导成效的关系。该理论认为，没有一种领导方式对所有的情况都是有效的，没有一成不变的、普遍适用的"最好的"领导方式，领导在不同的情景下采取与情景相适应的行为，才能达到有效的领导。领导权变理论很多，下面主要介绍领导行为的菲德勒权变理论。

菲德勒权变理论认为人们的基本领导风格是他们的一种内在倾向，属于个性的一部分，要改变它并非不可能，但这也是长期而艰巨的事。所以领导者应首先摸清自己及所辖的下属的领导风格，并争取自己和下属委派到最适合各自风格的情景中去，以实现最佳领导效能，即让工作适合管理者。菲德勒确认了两种领导风格，一种是任务导向型，另一种是关系导向型。他认为，一个领导人的领导风格究竟是任务导向型还是关系导向型是可以确定的。

菲德勒提出从下列三个方面去确定情景的特征。

（1）上下级关系。这是最重要的考虑因素。上下级关系是指领导者对下属信任、信赖和尊重的程度，以及是否受下级喜爱、尊重和信任，是否能吸引并使下级愿意追随。

（2）任务结构。任务结构是指工作任务的程序化程度（即结构化或非结构化）。若目标明确，职责分明，有现成的程序、规则可依循来完成任务，即为任务结构性高。

（3）职位权力。职位权力是指领导者拥有的权力变量（如聘用、解雇、训导、晋升、加薪）的影响程度。

三种情景因素可搭配成 8 种组合。如图 8 - 1 所示为菲德勒的领导模型示意图。其中上下级关系好、任务结构性高、职权又大，有最大的情景控制与影响力，属最有利的领导情景；反之，上下级关系

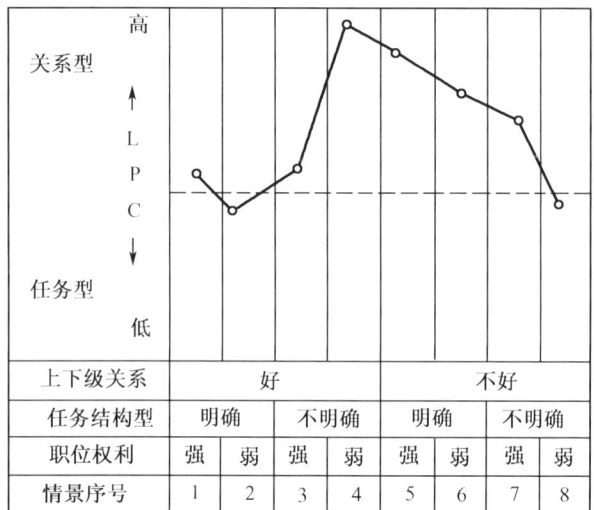

上下级关系	好				不好			
任务结构型	明确		不明确		明确		不明确	
职位权利	强	弱	强	弱	强	弱	强	弱
情景序号	1	2	3	4	5	6	7	8

有利 ——————— 情景 ——————— 不利

图 8 - 1　菲德勒的领导模型示意图

不好,任务结构性低、职权又小,对情景控制与影响力最小,属最不利的情景。

菲德勒以大量研究表明,在情景从有利到较有利(情景1~3)或很不利时(情景8),任务型的领导风格较有效。情景有利中等(情景4~7)时,则关系型的领导风格较有效。

第二节 激 励

一、激励原理

1. 激励的概念及作用

(1)激励的概念。激励就是激发动机,鼓励行为,形成动力。也就是指为了特定目的而去影响人们的内在需要或动机,从而强化、引导或改变人们行为的过程。激励的对象主要是人,准确地说,是指组织范围中员工或被领导者。

(2)激励的作用。激励在管理中的作用是通过动机的激发,调动组织成员工作的积极性,激发他们工作的主动性和创造性,以提高其工作绩效。其核心作用是调动人的积极性。

一个人的工作绩效和能力与动机激发程度有着密切关系。在现实生活中,能力相同的不同员工,在相同的客观条件下,其工作效率可能相差很大。出现这种现象的关键在于人的行为动机的激发程度不同。国外管理学者在对激励的研究中发现,一般员工只需运用20%~30%的能力就可以应付工作,不被解雇。但如果给予高度的激励,他们可能使用80%~90%的能力从事工作。这说明激励直接影响人们的工作积极性。

2. 人性假设与激励

激励的对象是人,企业管理者制定什么样的管理措施,采用什么样的管理方法,往往都与他们如何看待人的问题有关,只有对人有了深入的了解才可能使激励更富有成效。人究竟是为什么样的利益而采取行动呢? 不同时期的管理者和组织行为研究者们对此提出了各自的见解,从而形成不同的人性假设。关于人性假设的理论有许多,但归纳起来有4种:经济人假设、社会人假设、自我实现人假设和复杂人假设。

(1)"经济人"假设。"经济人"的假设理论认为人的一切行为都是为了最大限度地满足自己的私利,人都要争取最大的经济利益,工作只是为了获取经济报酬。与之相应,激励的主要手段是"胡萝卜加大棒",即管理上主张运用奖励与惩罚"两手",来激发员工产生领导者和组织所要求的行为。

(2)"社会人"假设。"社会人"又称为"社交人"。这种假设起源于著名霍桑实验。霍桑实验的结论是工人不是机械的被动的机器,而是活生生的人;不是孤立的个体,而是复杂的社会系统的成员;人们的社会性需要是最重要的,人际关系、职工的士气、群体心理等对人的积极性有重要影响。"社会人"假设认为人是受社会需要所激励的,集体伙伴的社会力量要比上级主管的控制力量更加重要。与之相应,领导者应关心和体贴员工,重视员工之间的社会交往关系,通过培养和形成员工的归属感来调动人的积极性,从而提高生产率。

(3)"自动人"假设。"自动人"又称"自我实现人"。"自动人"假设认为人是能够自我激励、自我指导和自我控制的,要求提高和发展自己的能力并充分发挥个人潜能,人才会有最大的满足。与之相应,管理上应创设良好的环境与工作条件,以促进职工潜能的发挥,强调通过富有挑战性的工作使人的个性不断成熟并体验到工作的内在激励,从而调动职工的积极性。

（4）"复杂人"假设。"复杂人"是20世纪60年代末至70年代初提出的假设。该假设认为人是复杂的，不仅需求因人而异，而且一个人本身在不同的年龄、地点、时期也会有不同的表现。人的需求随着各种变化而改变，人与人的关系也会改变。人性假设不是单一的，而是因时、因地、因情景采取适当反应的复杂人。与之相应，激励的措施也应该力图多样、变动，并根据具体的人、具体的情景灵活机动地采取合适的激励方法。

二、激励理论

"人性"的不同假设，自然会导致各种不同的激励方式与方法。有效的管理者不仅应该知道员工需要什么，应该给特定需要的员工提供哪些方面的激励，更应该知道如何进行激励。激励理论是研究如何有效地调动人的积极性的理论。它研究的主要问题是，作为管理者，应该如何正确地开展激励工作，如何根据人们的需要和人类自身的规律，选择正确的激励方法。西方有关的激励理论主要可归纳为以下三种类型。

1. 激励的内容型理论

着重研究如何激发人的工作动机的因素，即如何通过满足人们的各种需要来激励员工。激励的内容型理论有以下几种。

（1）需要层次理论。需要层次理论是由美国心理学家亚伯拉罕·马斯洛于1943年提出来的。这一理论多年来受到管理界的普遍重视，流行很广，是国外心理学家试图揭示需要规律的主要理论。马斯洛把人的需要归纳为五大类，并按照它们发生的先后由低到高分成五个阶层。

①生理的需要。生理的需要是人类维持自身生命的最基本的需要，包括衣、食、住、行及延续种族的需要等等。这种需要是最强烈的、不可避免的最低层需要，是人类个体为了生存而必不可少的需要，也是推动人类行动的强大动力。

②安全的需要。安全的需要是指对人身安全、生活稳定以及免遭痛苦、威胁或疾病的需要，包括生命安全、财产安全、职业安全、劳动安全、环境安全和心理安全等。

③社交的需要。社交的需要也可称为归属和爱的需要，包括社会交往，从属于某一个组织或某一种团体，并在其中发挥作用，得到承认；希望同伴之间保持友好和融洽的关系，希望得到亲友的爱等等。

④尊重的需要。即自尊、自重，或要求被他人所尊重，包括自尊心、信心、希望有地位、有威望，受到别人的尊重、信赖以及高度评价等。

⑤自我实现的需要。是指可以发挥一个人潜力的需要，包括能充分发挥自己的潜力，表现自己的才能，成为有成就的人物。

马斯洛认为，一般情况下，这五种需要像阶梯一样从低到高依次得到满足。当人的低一层次的需要得到满足后，就会向高一层次的需要发展。

既然人的五个层次需要是客观存在的，管理者的任务就在于正确认识被管理者不同层次的需要，并找出相应的激励因素，采取相应的组织措施，来满足其不同层次的需要，以引导和控制人的行为，实现组织目标。这种需要层次与相应的激励因素和组织措施的关系，如表8-4所示。

（2）双因素理论。双因素理论是美国的心理学家弗雷德里克.赫茨伯格提出来的，又称激励因素-保健因素理论。

双因素理论认为，激发动机的因素有两类，一类称为保健因素，另一类称为激励因素。

21世纪高职船舶系列教材

ERSHIYISHIJI GAOZHI CHUANBO XILIE JIAOCAI

表 8-4 需要层次与相应的激励因素和组织措施

一般激励因素	需要层次	组织措施
1 成长 2 成就 3 提升	自我实现	1 有挑战性的工作 2 创造性 3 在组织中提升 4 工作的成就
1 承认 2 地位 3 自尊 4 自重	自我、地位、尊重	1 工作职称 2 奖励增加 3 同事和上级的承认 4 工作本身 5 责任
1 志同道合 2 爱 3 友谊	归属与爱	1 管理的质量 2 和谐的工作群体 3 同事的友谊
1 安全 2 保障 3 胜任 4 稳定	安全与保障	1 安全的工作条件 2 外加的福利 3 普遍增加薪水 4 职业安全
1 空气 2 食物 3 住处	生理的	1 暖气和空气调节 2 基本工资 3 自动食堂 4 工作条件

（中间标注：上升的顺序；基本的）

保健因素是指防止人们产生不满的因素,包括企业政策和管理、技术监督、薪水以及人际关系等。组织在不具备的时候保健因素会引起不满,具备的时候也不会产生很大的激励作用。激励因素是使员工感到满意的因素,包括工作本身因素、认可因素、成就因素等。组织在不具备这些的时候不会引起很大不满,具备的时候会产生很大的激励作用。

（3）成就需要理论。

成就需要理论认为在人的生存基本得到满足的前提下,最主要的需要有三种:①成就需要。达到目标、追求优越、寻求成功的欲望;②权力需要。影响或控制他人,促使别人顺从自己意志的欲望;③合群需要。寻求与别人建立友善且亲近的人际关系的欲望。

成就需要理论对于我们把握管理人的高层次需要具有积极的参考意义。麦克利兰认为在对员工实施激励时需要考虑这三种需要的强烈程度,以便提供能够满足这些需要的激励措施。

2.激励的过程型理论

激励的过程型理论有以下两种。

（1）期望理论。期望理论通过考查人们的努力行为与其所获得的最终奖酬之间的因果关系,来说明激励过程并选择合适的行为目标以实现激励的理论。

期望理论认为一种行为倾向的强度取决于个体对于这种行为可能带来的结果的期望强度,以及这种期望对行为者的吸引力,可以用下式表示

$$激励力量 = 效价 \times 期望$$

式中:激励——对行为动机的激发力度;

效价——目标价值的主观估计,取值范围不限;

期望——目标概率即实现可能性的主观估计。

该式说明,假如一个人把目标的价值看得越大,估计能实现的概率就越高,那么激发的动机就越强烈,焕发的内部力量也就越大。

在管理中,要处理好三个方面的关系,调动人们工作积极性。

第一,努力与绩效的关系。管理者要增加目标的吸引力,所设立的目标既要有一定的挑战性,又要让人觉得有实现的可能性,经过努力能够达到;要让职工正确认识组织目标与个人目标之间的关系,提高目标的效价。

第二,绩效与奖励的关系。一要明确什么工作得到什么奖酬;二要使职工认识到这种奖酬与工作绩效有联系;三要使职工相信只要努力工作,绩效就能提高。

第三,奖励与满足个人需要的关系。组织提供的特定报酬应与职工的需要相符合。

此外,应适当控制期望概率和实际概率,加强期望心理的疏导。期望概率过大容易产生挫折,期望概率过小又会减小激励力量;而实际概率应使大多数人受益,最好实际概率大于平均的个人期望概率,并与效价相适应。

(2)公平理论。公平理论侧重于研究工资报酬分配的合理性、公平性及其对职工生产积极性的影响。

公平理论的基本观点是当一个人做出了成绩并取得了报酬以后,他不仅关心自己所得报酬的绝对量,而且关心自己所得报酬的相对量。为此,他要进行种种比较来确定自己所获报酬是否合理,比较的结果将直接影响其今后工作的积极性。

比较有纵向和横向两种方法:①纵向比较是指把自己目前投入的努力与目前所获得报酬的比值,同自己过去投入的努力与过去所获报酬的比值进行比较。如果现在的报酬和过去报酬相等,人们一般不会产生不公平感,如果报酬少于过去,就会感到不公平,如果现在的报酬比过去的多,就感到公平;②横向比较是指与他人所得的报酬相比较,这就是社会比较。即他要将自己获得的"报酬"(包括金钱、工作安排以及获得的赏识等)与自己的"投入"(包括教育程度、所作努力、用于工作的时间、精力和其他无形损耗等)的比值与组织内的其他人作社会比较,只有相等时,他才认为公平。

在管理中的应用。管理者要及时体察职工的不公平心理,并认真分析、诱导、教育职工正确对待自己和他人。同时,要做到科学考评,合理奖励,一视同仁,公正管理,尽量减少使职工产生不公平感的客观因素。

3. 激励的调整型理论

(1)强化理论。强化是指对一种行为的肯定或否定的后果(报酬或惩罚),它至少在一定程度上会决定这种行为在今后是否会重复发生。

利用强化的手段改造行为,一般有四种方式:①正强化,是指奖励那些组织上需要的行为,从而加强这种行为;②负强化,是指惩罚那些与组织不相融的行为,从而削弱这种行为;③自然消退有两种方式,一是对某种行为不予理睬,以表示对该行为的轻视或某种程度的否定,使其自然消退;二是对原来用正强化建立起来的、认为是好的行为,由于疏忽或情况改变,不再给予正强化,使其出现的可能性下降,最终完全消失;④惩罚,是用批评、降薪、降职、罚款等带有强制性、威胁性的结果,来创造一种令人不愉快乃至痛苦的环境,或取消现有的令人满意的条件,以示对某一不符合要求的行为的否定,从而消除这种行为重复发生的可能性。

上述四种强化类型中正强化是影响行为发生的最有力工具,它能增强有效的工作行为。惩罚和消退只能使职工知道不应做什么,但并没有告诉职工应该做什么。而负强化则会使职工处于一种被动的、不快的环境之中,可能产生适得其反的结果。

(2)挫折理论。挫折是指在通向目标的道路上的个体行为,遇到障碍或干扰不能克服,致使动机不能获得满足时的情绪状态。引起挫折的原因多种多样,可归纳为环境因素和个人因素两类。环境因素引起的挫折,主要是指因自然环境、物理环境和社会环境等阻碍人们达到目标而产生的挫折。个人因素引起的挫折主要是指因个人生理缺陷、心理冲突和个人抱负水平的不同而引起的挫折。

一旦遇到挫折,人们在心理上会表现出焦虑、紧张、沮丧、失望等情绪,行为上主要表现出攻击、退化、固执和自我防卫等行为。这些心理及行为的表现对人们的工作积极性和工作绩效都产生一定的破坏力。

管理者应引导员工正确对待挫折,对受挫折者的消极行为应采取宽容的态度,并通过改变受挫环境来改变受挫者的情绪,也可以给受挫折者创造一种可宣泄的环境,以发泄心中的怨气和紧张情绪,使受挫折者恢复理智状态,达到心理平衡。日本的很多公司都在工作场所设置一个出气室。在这个出气室里摆满了企业大小经理人的头像。哪位员工如果觉得自己对哪个经理人感到不满意,就可以冲进出气室,冲着这个经理人的橡胶头像猛打一顿。虽然这不是一种治本的方法,但是非常符合人性,有良好的效果。

4.激励理论的综合

综合激励模式把激励过程视作外部刺激、个体内部条件、行为表现、行为结果的相互作用的统一过程。这就把行为主义激励论的外在激励和认知派激励论的内在激励综合在一起了。这一模式表明先有激励,激励导致努力,努力导致绩效,绩效导致满足。

这一模式包括了以下主要变量:①努力程度。不同的激励决定了一个人的努力程度、努力方向以及坚持努力的持续时间。而一个人每次行为最终结果又会以反馈的形式影响个人对这种奖酬的估价。同时,第一次的工作绩效也会以反馈形式影响个人对成功的可能性的估计;②工作绩效。工作绩效不仅取决于个人的努力程度,而且有赖于一个人的能力与素质以及对自己所承担的角色应起作用的理解程度、客观条件;③奖酬。奖酬包括内在性奖酬和外在性奖酬,它们和主观上感受的公平感一起影响个人的满意感。内在性奖酬更能带来真正的满足,并与工作绩效密切相关;此外,公平感也受到个人对工作绩效自我评价的影响;④满足。满足是指个人当实现某项预期目标时所体验到的满意感受。满足依赖于所得奖酬同所期望获得结果的一致性。期望大于结果,产生失望;期望等于结果,获得满足。

综合激励模式说明了管理者要想使激励能产生预期效果,就需要考虑以下几方面的工作:如何根据个人能力进行工作分工;如何设定合适的工作目标;给予什么奖励才能适应不同人的需求,激发每个人的积极性;设定什么样的有效奖励制度能使员工不断保持积极性;如何进行公平考核才能使员工感到公平、合理,使员工真正感到满意。

三、激励方法

有效的激励,必须通过适当的激励方式与手段来实现。按照激励中诱因的内容和性质,可将激励的方式与手段大致划分为三类,即工作激励、物质激励和精神激励。

1.工作激励

按照赫茨伯格的双因素论,对人最有效的激励因素来自于工作本身,即满意于自己的工

21世纪高职船舶系列教材

ERSHIYISHIJI GAOZHI CHUANBO XILIE JIAOCAI

作是最大的激励。特别在解决了温饱问题之后,员工更关注工作本身是否有吸引力,在工作中是否有无穷的乐趣,在工作中是否会感受到生活的意义,工作是否具有创造性、挑战性,工作内容是否丰富多彩,在工作中能否取得成就,获得满足,实现自我价值等等。管理者必须善于调整和调动各种工作因素,千方百计地使员工满意自己的工作,以实现最有效的激励。实践中,一般有以下几种途径。

(1)工作适应性。工作适应性是指工作的性质和特点与从事该工作的员工的条件与特长相吻合,能充分发挥其优势,引起其工作兴趣,从而使员工高度满意。科学合理的人与事的配合是有效激励的重要手段。管理者要善于研究人与工作的性质与特点,用人所长,科学调配与重组,实现人与事的最佳配合,尽可能地使员工满意于工作。

(2)工作的意义与工作的挑战性。员工怎样看待自己所从事的工作,直接关系到其对工作的兴趣与热情,进而决定其工作积极性的高低。人们愿意从事重要的工作,并愿意接受挑战性的工作,这反映了人们追求实现自我价值,渴望被人尊重的需要。激励员工的重要手段就是向员工说明工作的意义,并增加工作的挑战性,从而使员工更加重视和热衷于自己的工作,从而达到激励的目的。

(3)工作的完整性。人们愿意在工作实践中承担完整的工作。由自己,从开始到结束完成整项工作,工作的成果就是自己努力与贡献的成果,从而可获得一种强烈的成就感。管理者应根据工作的性质与需要,以及人员情况,尽可能将工作划分成较为完整的单元分配给员工,使每个员工都能承担一份较为完整的工作,为他们创造获得完整工作成果的条件与机会。

(4)工作的自主性。人们出于自尊和自我实现的需要心理,期望独立自主地完成工作,而自觉不自觉地排斥外来干预,不愿意在别人的指使或强制下被迫工作。这就要求管理者能尊重员工的这种心理,通过目标管理等方式,明确目标与任务,提出规范与标准,然后大胆授权,放手使用,让员工进行独立运作,自我控制。当员工意识到一项工作的成功完全归功于自己的自主运作,便会对由自己自主管理的工作高度感兴趣,并以极大的热情全身心投入,以谋求成功。

(5)工作设计。管理者通过开展工作设计研究,增加工作的丰富性、趣味性,克服单调乏味和简单重复,以提高员工的工作兴趣。工作设计的方式有工作扩大化和工作丰富化两种。

工作扩大化是从横向扩大工作的内容,通过增加员工工作的种类,令其同时承担几项工作或周期更长的工作,消除单调乏味状况。其具体形式有:兼职作业,即同时承担几种工作或几个工种的任务;工作延伸,即前向、后向地接管其他环节的工作;工作轮换,即在不同工种或工作岗位上进行轮换。这样,既有利于增加员工对工作的兴趣,又有利于促进人的全面发展,是重要的工作激励手段。

工作丰富化是从纵向扩大工作内容,让员工参与一些具有较高技术或管理含量的工作,即提高其工作的层次,从而使员工获得一种成就感,使其要求得到尊重的需要得到满足,具体形式包括将部分管理工作交给员工、吸收员工参与决策和计划、对员工进行业务培训、让员工承担一些较高技术的工作等。

(6)成果及时反馈。根据强化理论,对人们所取得的成果及时给予反馈,能极大地推动员工继续努力,否则,这种工作积极性就会消退。因此,管理者在工作过程中,应注意及时测量并评定、公布员工的工作成果,尽可能早地使员工得到工作的反馈,及时看到他们的工作

成果,有效地激发其工作积极性,促其努力扩大战果。

2. 物质激励

物质激励是指以物质利益为诱因,通过调节被管理者的物质利益来刺激其物质需要的方式与手段,主要包括以下具体形式。

(1)报酬激励。报酬包括工资、奖金、各种形式的津贴及实物奖励等。虽然对于国外一些较高收入水平的人来说,工资、奖金已不成为主要的激励因素,但对于我国相当一部分收入水平较低的人来说,工资、奖金仍是重要的激励因素。

(2)福利照顾。福利是指组织为员工提供的除工资奖金之外的一切物质待遇。对员工而言,福利没有工资、奖金那样明显而直接产生激励,但它的积极作用虽然间接而隐约却是巨大而深远的。全面而完善的福利制度,可使员工受到周到的体贴和照顾,体会大家庭的温暖,产生强烈的归属感,增强责任心与义务感。这是一种很宝贵的持久而自觉的激励力量,与单项奖励的作用相比,更具有根本性与内在性。

(3)经济处罚。在经济上对员工进行处罚,是一种管理上的负强化,属于一种特殊形式的激励。管理者运用这种方式时要注意,必须有可靠的事实根据和政策依据,令其心服口服,处罚的方式与处罚量要适当,既要起到必要的教育与震慑作用,又不要激化矛盾,同时要与深入细致的思想工作相结合,注意疏导,化消极为积极,真正起到激励作用。

3. 精神激励

精神激励是指通过满足职工的社交、自尊、自我发展和自我实现的需要,在较高的层次上调动职工的工作积极性,其激励深度大,维持时间长,主要包括以下一些具体形式。

(1)目标激励。目标激励是以目标为诱因,通过设置适当的目标,激发动机,调动积极性的方式。员工在管理中的自觉行为,都是追求目标的过程,正是一个个目标,引导着员工去采取一个又一个行动,可见,追求目标是满足需要的可行途径,目标成为管理激励中极为重要的诱因。用以激励的目标主要有两类:组织目标与个人目标,其中个人目标包括个人工作目标、个人职业成长目标和个人生活目标。在进行目标激励时,应注意把组织目标与个人目标结合起来,宣传组织目标与个人目标的一致性,组织目标中包含着员工的个人目标,员工只有在完成企业目标的过程中才能实现其个人目标。

(2)感情激励。感情激励是以感情作为激励的诱因,通过加强与员工的感情沟通,尊重员工、关心员工,与员工之间建立平等和亲切的感情,让员工体会到领导的关心、组织的温暖,从而激发出主人翁责任感和爱厂如家的精神,调动员工的积极性。人与动物的基本区别是人有思想、有感情,现代人对社会交往和感情的需要是强烈的,感情因素对人的工作积极性有重大影响。

(3)尊重激励。尊重激励是指管理者利用各种机会信任、鼓励、支持下级,努力满足其尊重的需要,以激励其工作积极性。主要有尊重下级的人格,尽力满足下级的成就感,支持下级自我管理,自我控制,管理者通过授权于下级,充分信任他们,放手让下级实行自我管理,自我控制,以满足其自主心理。

(4)参与激励。参与激励是以让下级参与管理为诱因,调动下级的积极性和创造性。通过参与,形成员工对组织的归属感、认同感,进一步满足自尊和自我实现的需要,并且有利于集思广益,集中群众意见,以防决策的失误,同时也增强下级对决策的认同感,从而激励他们积极自觉地去推进决策的实施。

(5)榜样激励。"榜样的力量是无穷的",榜样激励是在组织内树立英雄模范人物的形

象,号召和引导模仿学习。

(6)竞争激励。竞争激励是组织通过各种形式的竞赛,鼓励各种形式的竞争,并以此激发员工的热情、工作兴趣和克服困难的勇气与力量。根据马斯洛的需要层次理论,人们普遍存在着争强好胜心理,这是由于人们谋求实现自我价值、重视自我实现的需要所决定的。

(7)兴趣激励。兴趣对人们的工作态度、钻研程度、创造精神的影响很大,往往与求知、求美和自我实现密切相连。人们往往对于自己感兴趣的事物十分专注,甚至入迷,而这正是获得突出成就的重要动力。

(8)荣誉激励。荣誉激励是对优秀员工授予劳动模范、先进人物等荣誉称号。荣誉是满足人们自尊的需要,激发人们奋发进取的重要手段。

(9)信任激励。信任激励是指组织领导者充分信任员工的能力和忠诚,放手、放权,使员工充分发挥自己的聪明才智,以达到激励的目的。"民无信不立",领导者与下属的互相理解、互相信任是同心协力、发挥下属能动性的前提。

(10)文化激励。文化激励是指通过组织文化激励组织成员培养自觉为组织发展而积极工作的精神。组织文化是只看不见的手,具有激励作用。组织文化的这种激励作用,一方面是由于组织文化是一种以人为中心的管理,承认人的价值,尊重人,爱护人,注重对人的思想、行为的"软"约束,从而起到传统激励方式起不到的作用;另一方面,组织文化的激励功能不是消极被动地去满足人们对自身价值的心理需求,而是通过组织的共同价值观的形成,使其转化为员工实现自我激励的动力,自觉地为组织的生存和发展而工作。许多优秀的企业正是利用企业文化这只"看不见的手",通过以企业的理念,纲领为准则建立心灵契约、以良好的企业作风为平台激发员工创造力、以价值观和企业精神为引擎推动企业快速扩张、以文化融合为切入点激活企业员工的创造力。

第三节　沟　　通

管理问题在很大程度上是沟通问题。80%的管理问题实际上就是由于沟通不畅所致。管理者应提高沟通水平,通过与下属进行畅通的沟通,提高管理的效率。

一、沟通原理

1.沟通的概念

在管理学中,沟通是指人与人之间传达思想感情和交流情报信息的过程。对于一个组织来说,沟通是一个十分重要的问题。沟通对于组织,就好比血液循环之生命有机体。血液向有机体细胞提供氧气,没有氧气,细胞就会机能失常乃至死亡。同样,组织中的相互了解、获得反馈、衡量成果、进行决策以及部门之间的协调等,无不依赖于信息沟通。沟通能确保组织内的各部门、各成员获得工作所需的各种信息,增进相互间的了解和合作。缺乏必要的沟通,组织内各部门、各成员的工作将要发生紊乱,整个组织的运转也要发生故障。事实上,领导者每天所做的大部分决策事务都是围绕沟通这一核心问题展开的。

2.沟通的过程

沟通的过程是指信息的发送者(信息源)与接收者之间传递信息的过程,如图8-2所示。沟通的过程主要涉及8种要素,即发送者、信息、编码、渠道、解码、接收者、反馈、噪声。

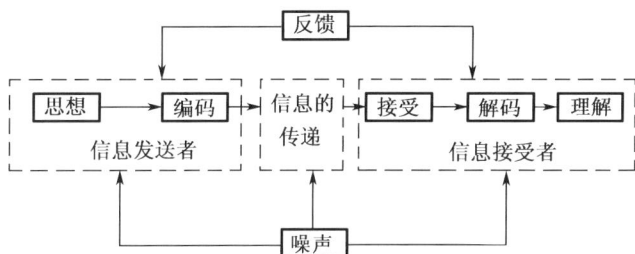

图 8 - 2　沟通的过程示意图

（1）信息发送者，又称信息源。它是指在沟通中具有沟通需求并发出信息的个人、群体、组织。它是沟通的主体，是信息的来源。

（2）信息，是指由信息源经过编码而创造的一切言语和非言语的符号。这些组合符号表达了发送者意欲传递的意义。信息的表现形式多种多样，包括所说的话、文章、图画、动作表情等。

（3）编码，是由信息发送者将思想、观念、想法、情感等信息内容转译成系统化的符号形式，用以表达信息。编码包括语言编码和非语言编码。

（4）渠道，是信息的载体，传送信息的中介。渠道的功能在于它使信息源和接收者相关联。一般信息可以通过口头和书面两种形式传递，其中以口头形式传递的渠道包括有面谈、电话、开会、演讲、联网电话和闭路电视等；以书面形式传递的渠道包括有信函、报告备忘、电报、传真、手册、布告、电子邮件等。

（5）解码，是指接收者将获得的信息进行译解，根据自己的知识、经验和思维方式转换为自己所能理解的意念的过程。解码实质上是接收者对信息的翻译和对信息源的行为赋予意义。

（6）信息接收者，是指在沟通过程中接收信息的一方。信息源与接收者构成了沟通的主客体，他们是相互依存，缺一不可的。但两者的角色、地位并不是固定不变的。在一个完整的沟通中，发送者与接收者的划分并不是绝对的，而是随着沟通过程的进行和深化而变化的。

（7）噪声，指的是信息传递过程中的干扰因素。如发送者和接收者情绪的好坏、两者之间的误解、价值观、认知水平、地位差异等都会形成沟通距离，编码和解码时采用的信息符号差异等也都会影响沟通效果。

（8）反馈，是指信息接收者承认已接收到发送者传来的消息，并向发送者表明对此信息的理解。反馈对沟通质量关系极大，通过反馈，可以检验信息传送的程度，可以了解信息是否已经完全为接收者所了解。

沟通过程的每一个要素都很重要，只要有一个要素出现问题，就达不到沟通信息的效果。由图 8 - 2 可以看出整个沟通的过程可以分成四个阶段。

第一步，编码阶段。信息发送者将其观点，想法或所得的事实采取某种形式来发出。

第二步，传递阶段。信息凭借某种媒介通道传送。

第三步，解码阶段。信息接收者由通道接收到信息符号，并将这些信息符号译解，从而去理解。

第四步，反馈阶段。信息接收者根据自己所理解的意念加以判断，以采取各种不同反应

船舶工程专业 CHUANBO GONGCHENG ZHUANYE

21世纪高职船舶系列教材
ERSHIYISHIJI GAOZHI CHUANBO XILIE JIAOCAI

行为。

3. 沟通的功能

（1）传达信息。信息交流是沟通的最基本的目的。实际上，所有其他的目的都是这一目的的特殊表现，所有的沟通都是某种信息交流的过程。通过沟通，人与人之间能够交流信息、知识、经验、思想和感情。这种作用有助于人与人之间的需求、动机、感情等心理上的相互了解，有助于在某个问题上取得一致意见或使不同意见尽快表露出来并加以解决。

（2）心理保健。人与人之间的沟通是一种重要的心理需要，人们在与他人的沟通交往中，进行情感性的而非任务性的相互交流，从而满足自身心理上的社会需要并达到平衡。

二、沟通的类型及网络

1. 沟通的类型

（1）按沟通的组织系统分类

在一个组织内，成员间所进行的沟通，因其途径的不同可分为正式沟通与非正式沟通这两种系统。

①正式沟通。正式沟通是指按组织内规章制度所规定的沟通方式，经由组织结构而形成的途径的沟通。这种沟通要通过正式的组织程序，沟通的媒介物和线路都是经过了事先安排，被认为是正式的。例如组织内部的文件传达，定期或不定期的会议制度，上级指示按系统逐级下达或下级的情况逐级上报等。正式沟通的途径，如图 8－3 所示。

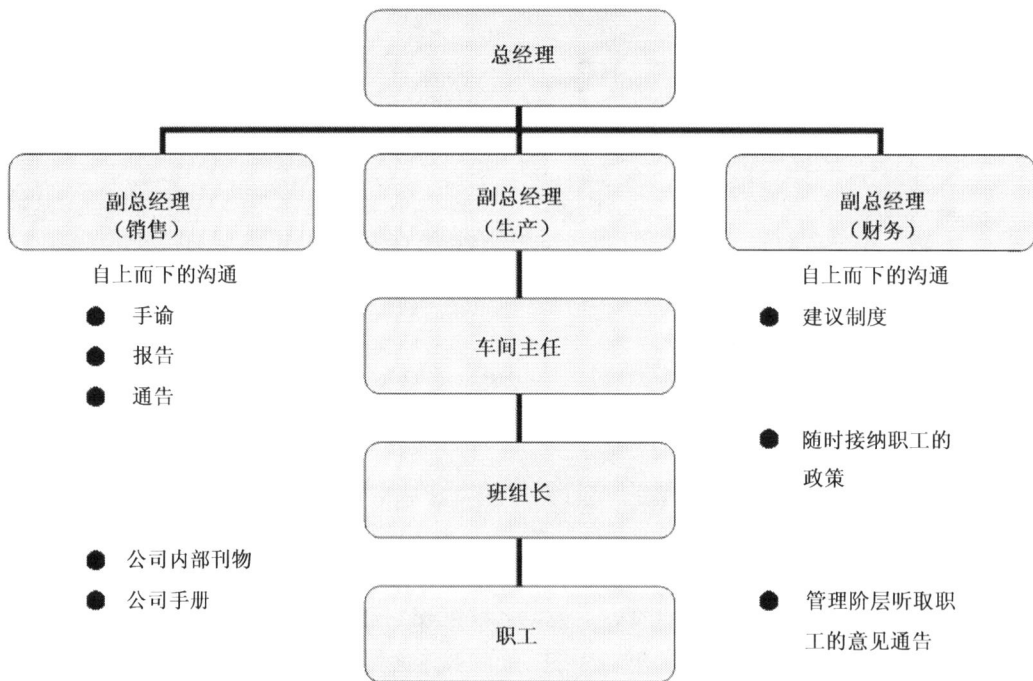

图 8－3　正式沟通示意图

②非正式沟通。非正式沟通是指在正式渠道之外进行信息的传递与交流。这种沟通的媒介物和线路无须事先安排，具有很强的随意性和自发性，沟通途径繁多且无定式。例如同事之

间任意交谈,甚至通过家人之间传递等。

正式沟通和非正式沟通在组织中都存在,且各有其优缺点,二者的比较,如表8-5所示。

表8-5 正式沟通和非正式沟通的区别

沟通方式	优 点	缺 点
正式沟通	沟通效果好,比较严肃、慎重,约束力强,易于保密,可以使信息沟通保持权威性	依靠组织层层传递,较刻板,沟通速度慢,存在信息失真和扭曲的可能
非正式沟通	沟通形式灵活多样,沟通速度快,效率较高,容易及时了解到正式沟通难以提供的"内幕消息",可以满足组织成员的心理需要	难控制,传递的信息不确切,容易失真,可能导致小集团、小圈子,影响组织的凝聚力和稳定

在非正式沟通中,最容易导致"小道消息"的蔓延。美国心理学家戴维斯教授曾对小道消息问题进行了专门研究,指出小道消息具有五个特点:新闻越新,人们谈论得越多;对人们工作有影响的,最为人们所谈论;人们所熟悉的,最为人们所谈论;人与人在工作上有关系时,最可能牵涉在同一传言中;人与人在工作中常有接触时,最可能牵涉在同一传言中。

(2)按沟通信息的流动方向分类

按沟通信息流向的不同,可以把沟通分为纵向信息沟通、横向信息沟通和斜向信息沟通三种。

①纵向信息沟通。纵向信息沟通即垂直沟通,是指沿着组织的指挥链在上下级之间进行的信息沟通。

它可以分为自上而下的和自下而上的两种形式。自上而下的沟通也称为下行沟通,指组织内部同一系统内的较高层次人员向较低层次人员的沟通,一般以命令方式传达上级组织或其上级所决定的政策、计划、规定之类的信息,有时颁发某些资料供下层使用等,它是传统组织中最主要的沟通信息流向。自下而上的沟通也称为上行沟通,指组织内部同一系统内较低层次人员向较高层次人员的沟通,如请示、书面或口头汇报等。有的领导者认为沟通就等于"发布信息"或是自上而下的"信息传达",这是不对的,自下而上的沟通应受到领导者的特别重视。

②横向信息沟通。横向信息沟通是指组织内部同一层次人员之间的沟通,也称平行或水平沟通。这种沟通主要是为了促成不同系统(部门、单位)之间的协调配合和相互了解而运用的。例如,高层管理者之间、中层管理者之间、生产工人与设备修理工人之间、任务小组与专案小组内部所发生的沟通,都属于横向信息沟通。

③斜向信息沟通。斜向信息沟通是指组织内部既不同系统又不同层次的人员之间的沟通。它对组织中的其他沟通渠道会起到一定的补充作用。其优点是增加相互理解,缩短沟通线路和信息传递时间,但也容易在部门之间造成矛盾。

(3)按沟通的方法分类

按沟通的方法可以把沟通分为口头沟通、书面沟通、非语言沟通和电子媒介沟通等。

口头沟通是借助于口头语言进行的沟通。书面沟通是指利用语言文字进行的沟通。非语言沟通则是通过诸如面部表情、语气声调及身体姿态等来加强或否认语言沟通的效果。电子媒介沟通是借助现代电子通信技术手段如传真机、电子邮件、计算机等进行沟通。上述

21世纪高职船舶系列教材 ERSHYISHIJI GAOZHI CHUANBO XILIE JIAOCAI

各种沟通方式的比较,如表8-6所示。

表8-6　各种沟通方式比较

沟通方式	举例	优点	缺点
口头	交谈、讲座、讨论会、电话	传递反馈块、信息量大,弹性在、亲切、双向、效果好	不易保存,事后难查证.传递层次愈多则信息失真愈严重
书面	报告、备忘录、信函、文件、内部刊物、布告等	正规、准确、权威、持久有形可核实,易于远距离传递、易于保存	效率低,费用较高,缺乏反馈,保密性差
非语言	声、光信号、体态、语调	内涵丰富、含义隐含灵活、信息十分明确	传递距离有限、界限含糊,只可意会,不可言传
电子媒介	传真机、电子邮件、电子会议	快速传递、容量大、距离远,可同时传递到多人	单向传递,电子邮件可交流但看不到表情,不能满足人们归属的需要

(4)按沟通后是否进行反馈分类

①单向沟通。单向沟通是指没有反馈的信息传递,沟通中信息的发送者与接收者的地位不变,如作报告、演讲、指示和命令等。单向沟通比较适合下列几种情况:问题较简单,但时间较紧;下属易于接受的方案;下属没有了解问题的足够信息,在此情况下,反馈不仅无助于澄清事实反而易混淆视听;发送者缺乏处理负反馈的能力,容易感情用事。

②双向沟通。双向沟通是指有反馈的信息传递,沟通中信息的发送者与接收者的地位不断变化。双向沟通比较适合下列几种情况:时间比较充裕,但问题比较棘手;下属对解决方案的接受程度至关重要;下属对解决问题能提供有价值的信息和建议;发送者习惯于双向沟通,且具有建设性地处理负反馈的能力。

2.沟通的网络

沟通网络指的是信息流动的通道。信息沟通的有效性往往与它的网络类型有一定的关系。组织内的沟通网络可分为正式沟通网络与非正式沟通网络。

(1)正式沟通网络。正式沟通网络是根据组织机构、规章制度来设计的,用以交流和传递与组织活动直接相关信息的沟通途径。为研究不同的正式沟通网络如何影响个体与群体的行为,以及各种形态的网络结构的优缺点,巴维拉斯曾对五种结构形式进行了实验比较。这五种信息沟通网络结构形式,如图8-4所示。在正式组织环境中,每一种网络形态相当于一定的组织结构形式。

链式:代表一个5级层次逐级传递,信息可以向上传递或向下传送。它也可以表示主管与下级部属间有中间管理者的组织系统。

轮式:表示主管人员居中分别与4个下级沟通,而4个下级之间没有相互沟通,所有的沟通都通过主管人员。

环式:表示5个人之间依次联系沟通,这种结构可能发生于3个层次的组织结构。第一级主管与第二级的两个管理者建立联系沟通,第二级管理者再与底层联系,底层的工作人员之间建立横向联系。

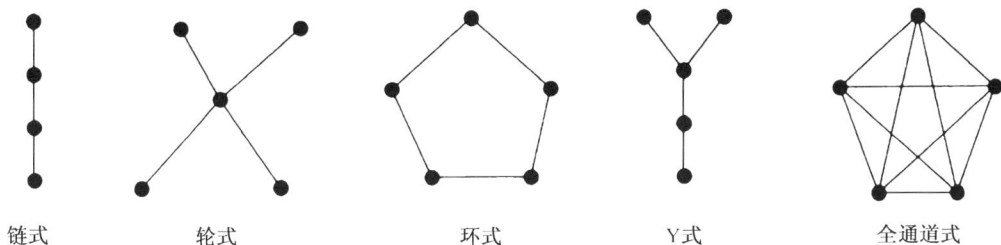

図8－4　组织中的5种信息沟通网络结构示意图

Y式:表示两个主管均通过第二级(例如秘书)与3个下级发生联系。处于这种地位的秘书可以获得最多的信息情况,因而往往容易掌握真正的权力,控制组织,而第一级的主管则变成傀儡人物。实验证明,掌握信息越多者,越容易成为领导人物。

全通道式:表示组织内每个人都可与其他4个直接地自由沟通,并无中心人物,所有成员都处于平等地位,一般适用于委员会之类的组织结构。

巴维拉斯等根据实验结果发现,在组织沟通中,不同形态的沟通网络对组织活动有不同的影响效果,并对五种沟通网络的影响效果进行了比较,如表8－7所示。

表8－7　五种沟通网络的影响效果比较

沟通形态评价标准	链式	轮式	环式	Y式	全通道式
集中性	适中	高	低	较高	很低
速度	适中	快(简单任务) 慢(复杂任务)	慢	快	快
正确性	高	高(简单任务) 低(复杂任务)	低	较高	适中
领导能力	适中	很高	低	高	很低
全体成员满足	适中	低	高	较低	很高

(2)非正式沟通网络。非正式沟通网络不是由组织固定设置的,而是在组织成员进行非正式沟通中自然形成的。美国心理学家戴维斯教授将非正式沟通网络归纳为下列几种形态。

①单线型。单线型的特征为"一传一"。如 A 将消息传给 B,B 传给 C,C 传给 D。

②辐射型。辐射型的特征为"一传多"。如 A 将消息传给 B、C、D 等人。

③随机型。随机型也称概率型,它的特征为"随机传"。如 A 将消息随机地传给一部分人,这些人又再随机地传给其他人。实际传给哪些人,带有相当的偶然性。

④集束型。集束型也称"葡萄藤式",以"成串传"为特征。如 A 将消息传给特定的一群人如熟人,这些人又再传给各自熟悉的其他人。这是非正式沟通典型的沟通网络,可谓"一传十,十传百"。

组织中存在非正式的沟通网络有时可能产生不利影响,但也可以利用其来补充正式沟通网络中的不足。这种沟通方式不受组织机构的监督和限制,可以自行选择沟通渠道,有时

可以提供正式沟通中难以获得的某些信息。人们的真实思想和意见也往往通过非正式的沟通网络表露出来。管理者应对非正式沟通网络加以正确地引导和利用，以补充正式沟通网络的不足。

三、有效沟通

1. 有效沟通的特征

（1）及时。及时沟通是指沟通双方要在尽可能短的时间里进行沟通，并使信息发生效用。

（2）充分。信息充分要求发送者在发出信息时要全面、适量，既不能以偏概全，也不能过量，而应该适量充分。

（3）不失真。只有不失真的信息，才能充分反映发送者的意愿，接收者才能正确理解信息。按照不失真的信息采取行动，能取得预期效果。失真的信息，往往会对接收者产生误导。

2. 有效沟通的障碍

有效的沟通不仅是信息的传递，更是对信息的完整、准确的理解。而在实际的沟通过程中常常会因各种沟通障碍影响着沟通的有效性。沟通障碍的分析可以从两个方面进行。

（1）按沟通过程分析。在沟通的过程中，各个环节都可能给所有交流的信息带来歪曲和失真，从而影响组织沟通的效果。

① 编码阶段。在编码阶段，影响有效沟通的因素主要有以下几点。

（a）沟通技能。信息发送者必须具备良好的口头或书面表达能力以及逻辑推理能力。

（b）知识。信息发送者在特定问题上所拥有的知识背景会直接影响所传递信息的质量。

（c）态度。信息发送者的态度会影响其编码行为。任何人都难免在一些问题上持有自己的态度和看法，而这些认识会影响和左右对所沟通信息的编码。

（d）社会文化系统。信息发送者的地位、威信、信仰、价值观和社会文化背景会影响信息沟通行为。

② 传递阶段。在传递阶段，影响有效沟通的因素有以下几点。

（a）媒介（渠道）的选择。不同的沟通媒介（渠道）的沟通传播效果有所不同。在选择沟通媒介时，应依据具体条件下的有效性灵活应用，否则就会造成沟通的困难。

（b）沟通的信息量。沟通中的信息以适度为宜，信息量过少或过多，都是不利于有效的沟通的。

（c）沟通的时机。沟通的时机十分重要，适时的沟通会增加沟通的有效性，而时间上的耽搁和拖延会使信息过时而无用。

（d）干扰。信息传递过程中若受到干扰，也会影响信息的准确传递。

③ 解码阶段。信息传递到接收方，并不等于接收者就会接收和理解该信息。接收者需要将其收到信息中所包含的符号，通过解码过程，转译成自己可理解的形式。解码过程与编码过程一样，也受到个体自身的沟通技能、知识、态度和社会文化背景的影响。

④ 反馈阶段。在反馈阶段，影响进行有效沟通的因素主要是上级对待下级的态度以及下级对待上级的态度。

如果上级不给下级机会来表明他们对所接收信息的理解，这就排除了反馈的机会，降低了沟通的有效性。相反，若上级能给予下级充分参与双向沟通的机会，则可以大大提高沟通质量。

若下级为了不在上级心目中形成不良印象，隐瞒对自己不利的信息，或不能向上级提出

自己的需要,都会造成上、下级之间沟通的困难。相反,若下级对上级充分信任,积极利用反馈机会,向上级说明自己的情况和工作的情况,则能大大提高沟通的有效性。

(2)按沟通因素分析。把在沟通过程中可能出现的障碍按不同的因素种类来分,可归纳为以下四种。

①语言障碍。语言是沟通过程中最重要的沟通工具。但语言又是极为复杂的,由于语言方面的原因所引起的沟通障碍到处可见,如不同国度、不同民族之间的交流就往往因语系或语族的不同而存在沟通困难。

②心理障碍。人的行为是受其动机、心理状态影响的,现实的沟通活动常为人的认识水平、态度、个性、情绪等心理因素所影响,有时这些心理因素,会成为沟通中的障碍。

③组织障碍。组织内的一些因素也会束缚组织内成员之间的有效沟通,这主要有地位的障碍和组织结构的障碍。

地位障碍是上下级之间进行有效沟通的最大障碍。它来源于对组织中地位差别的过分强调。例如上级爱摆架子,爱发号施令,或者用办公室的高级设备来有意识地显示上级的职位权威等,这些都会使下级明显感到地位差别,从而加深了沟通中的鸿沟。

组织结构障碍是由于组织内的结构设置不当,也会阻碍组织的有效沟通。如传递层次过多,失真的可能性就越大;机构重叠而造成沟通缓慢、各职能部门之间缺乏沟通、以及沟通渠道单一而造成信息不充分等,都会影响组织内部的有效沟通。

3. 有效沟通的实现

要克服沟通的障碍,实现有效的沟通,管理者一方面要明确沟通的原则,灵活运用沟通的方法,另一方面还需要不断提高沟通的技巧。

(1)有效沟通的原则

①准确性原则。当信息沟通所用的语言和传递方式能被接收者理解时,这才是准确的信息,这个沟通才具有价值。沟通的目的是使发送者的信息能够被接收者准确地理解,看起来这似乎简单,但在实际工作中,常会出现接收者对信息缺乏足够理解的情况。信息发送者的责任是将信息加以综合,无论是笔录或口述,都要求用容易理解的方式表达。这要求发送者有较高的语言或文字表达能力,并熟悉下级、同级和上级所用的语言。这样,才能克服沟通过程中的各种障碍,而对表达不当、解释错误、传递错误的信息予以澄清。

②完整性的原则。在信息沟通中,要注意必须以保证维护组织的完整性为前提。各级管理人员为了达到组织目标,都要进行沟通,以促进他们之间的相互了解。但是,沟通只是手段而不是目的。为维护组织的完整性,就要求上级管理人员支持下级管理人员的工作,鼓励位于信息沟通中心的管理人员运用他们的职位和权利。避免越过下级管理人员而直接向有关人员发布指示、进行接触。否则,会使下级管理人员处于尴尬境地,而违背统一指挥的原理。当然,如果确实需要直接发布指示,上级主管应事先同下级主管进行沟通。只有在时间不允许的情况下,例如紧急动员完成某一项任务,越级指挥才是必要的。只有注意这个原则,下级才会主动配合上级,带领人们去共同完成任务。

③及时性原则。在沟通的过程中,不论是管理人员向下沟通信息,还是下级管理人员自上沟通信息以及横向沟通信息,都应注意及时性原则。这样可促使组织新近制定的政策、组织目标、人员配备等情况尽快得到下级管理人员的理解和支持,同时可使管理人员及时掌握其下属的思想、情感和态度,从而提高管理水平和管理效果。在实际工作中,信息沟通常因发送者不能及时传递或接收者对信息的理解、重视程度不够而出现事后信息,或从其他渠道

21世纪高职船舶系列教材

ERSHIYISHIJI GAOZHI CHUANBO XILIE JIAOCAI

了解信息,使沟通渠道发挥不了正常的作用。

(2)有效沟通的技巧

在管理人的过程中,需要借助沟通的技巧,化解不同的见解与意见,建立共识。管理者可采取的改善沟通的方法和技巧有很多,最常用的有下列几种方法。

①提高对沟通重要性的认识。对于管理者来说,要提高沟通水平就应充分认识到沟通的重要性。一般地,管理人员十分重视计划、组织、领导和控制,对沟通常有疏忽,认为信息的上传下达有了组织系统就可以了,对非正式沟通中的"小道消息"常常采取压制的态度。上述种种现象都表明沟通没有得到应有的重视,重新确立沟通的地位是刻不容缓的事情。

②提高组织沟通网络的技术。有效的组织沟通是及时地用正确的形式向必须沟通的人提供准确的信息。要提高组织沟通网络的技术,管理人员必须在组织内建立有效的沟通渠道,尤其是那些非正式的、开放式的沟通渠道。沟通渠道畅通,有利于组织成员之间、上下级之间建立相互信任的关系,减少地位障碍和谣言的传播。

③控制信息流程。为了缓和信息过多的状况,管理者有必要建立一套控制系统,保证所接收的信息都是重要的,而且优先接收那些较为重要的信息。所谓控制信息,是指控制信息的质和量。控制信息流程,首先要考虑授权下属处理某些信息,由下属有选择地将重要信息报告给管理者。其次,让下属将收集的信息加以浓缩。信息传送者进行口头沟通时,要求他们列出报告的要点。再次,让下属根据信息的重要程度分类。这样,信息与信息之间就可以确定一个优先次序的关系,而且也不至于遗漏或忽略重要的信息。

④主动倾听意见。沟通技巧的关键是主动倾听。通过倾听,能使对方有被尊重的感觉,并能更好地发现对方的需要,从而使管理者做出正确的决策。组织中的领导者应善于听取各种不同意见,安排充分时间与下层人员联系,尽量消除上下级之间的地位隔阂及其所造成的心理障碍,引导、鼓励组织基层的成员及时、准确地向上层领导反馈情况,使领导者了解组织中的问题,提高管理水平。

所谓主动倾听,是指不仅限于被动地接收对方所传递过来的信息与事实,了解其言辞中字面的意义,而且要保持对其弦外之音的敏感,注意其表情、手势、眼神等非语言性沟通所显示出的感情,深入并准确地发掘其真实的内心意图。同时要主动做出反馈与提问,搞清真正问题之所在。

(3)设置相关制度

沟通的技巧和方法固然重要,但沟通绝不仅仅是一种临时性的技巧和方法。沟通是一种组织制度,要形成有效的沟通必须有制度保障。以下列举几个例子。

①建立组织内部的宣传渠道。为使组织管理人员和全体职工更好地了解情况,可考虑建立组织内部的宣传渠道,如内部报纸、内部网络、工作简报等,使组织的有关情况能得到及时沟通。

②会议制度。召开会议就是给沟通提供交流的场所和机会。通过会议的沟通,可以集思广益,形成共同的见解和行动方针,也可使人们了解共同目标,了解自己的工作与他人工作的关系,更好地选择自己的工作目标,明确自己怎样为组织做出贡献。组织召开的会议包括日常例会、职工代表大会等。

③建议制度。建议制度是为了避免组织内的普通员工向上沟通的信息被过滤掉而采取的一种强行向上沟通方法。由于组织内的等级和权力上的差别,因而会形成沟通上的阻碍,通过建议制度可鼓励普通员工就任何关心的问题提出意见。

第四节　充分发挥领导能力

前面讲述了领导、激励、沟通的基本原理的方法,本节主要阐述如何在造船生产管理中具体应用这些原理,更好地完成组织预定的目标。

一、正确地认识自己的目标

前面讲过,对不一样的情景,采用的管理方法各不相同,所以首先要搞清的是自己所处的工作环境是什么。造船生产企业的任务是造船,高效、质高、低成本、安全的造船模式是各大造船企业所追求的,也是它在激烈的造船市场中立于不败之地的根源所在。因而,首先可以确定我们的管理的目标是造船,一切的管理工作都必须围绕着造船生产,任务是扫清所有不利于实现高效造船的所有障碍,"领导就是服务",我们的管理的任务就是为员工创造容易工作的条件,这条件包含两方面的含义:一是提高员工的技术能力,二是为员工解开一切的束缚,让他们充分发挥自己的能力。

二、提升自己的影响力

领导的实质就是对他人的影响力,管理者个人影响力的大小直接影响其管理的效果。每一个管理者都应该不断地提高自己的综合素质,以提升自己的影响力。

1. 确认自己现有的影响力。影响力分为两部分。

(1)由职权带来的影响力

①明确本人职位的权限,既要充分发挥自己的权限,又不能越权行使权力。

②明确本人拥有的奖励权力,诸如安排晋升、加薪、有吸引力的工作、改善待遇的权力等。

③明确本人可使用的处罚权,如批评、解雇、降职、罚款等。

(2)非职权影响力,这部分影响力跟自身的素质相关联

①本人拥有的专业知识和技能。

②本人的诚实度和背景(资格)等。

2. 充分认识和下属之间的关系。

(1)确定部下是否能接受自己

常有一部分员工从心理上不能接受新任上司,这种情况并不少见,因为他们感到新上司与自己在生活态度、习惯,甚至所用语言上有差异。尽管管理者、作业者生活水平相差无几,但由于彼此的立场、价值观等不同,之间难免存在隔阂。特别是新上任的监督者,如果部下们不能接受自己,无论自身具备怎样高的知识、技能,都不足以成为构成影响力的要素。因此,一定要努力消除这种隔阂,让部下接受自己。

(2)上下心理距离的大小

作为领导,有必要测试一下与部下之间心理距离的大小。一般说,采用下述方法可以缩小与部下之间的距离。

①主动投身工作,首先身体力行。

②尽快记住大家的姓名。

③如有问题,任何时候都能接待,平易近人。

④不滥用自己的权力。根据需要,选择能掌握现场人员心理,威望高的人做代理。

21世纪高职船舶系列教材

ERSHIYISHIJI GAOZHI CHUANBO XILIE JIAOCAI

（3）成为部下的代表、保护者

管理者常常处于夹在上下级之间的位置，因此要求管理者发挥以下作用。

①缓和来自上级的要求，转换表达方式向部下传达。

②面对来自上级的压力，成为保护部下的屏障。

③作为部下代表，向上级转达班组情况和部下的想法。

④与自己班组相关的部门等进行平等交涉。

⑤如有必要，也要同上级和领导汇报、交涉。

从以上几方面，并不能断言管理者就是一般认为的"连接上下级的管道"。如果是连接管道的话，只要让信息在上下级之间顺畅传达就可以了，但事实并非如此简单。因此，如果管理者不是充满活力的行动家，决不会得到部下的信赖。

3. 要取得上级的信赖

无论是作为部下的代表，还是成为保护部下的屏障，都必须获得上级的信任。取得上级信任的传统方法是对上级履行职责和对工作做出贡献，积极主动地分担上级的工作任务，而且不能将部下作为垫脚石，牺牲部下的利益。

4. 全身心投入工作

部下对上级真正期待的，并不是对人的态度要多好，而是希望上级是一个热心于工作的人，在此基础上如果再懂得一些人际关系的技巧，就锦上添花了。

5. 提高领导能力的具体实践

（1）管理者的行为指南

①表现自己的威严和风格。

②成为优秀的沟通者。

③把自己当成教练。

④正确引导下属。

⑤持续推进改善。

（2）管理者的禁忌行为

①以文化、地域、年龄、用工性质等为由区别对待下属，做事不公正。

②不遵守与员工的诺言。

③表里不一，不以身作则。

④不遵守公司基本的规则和方针。

⑤与下属私交过度。

⑥在下属前没有理性。

（3）成功和失败的管理者的对照

序号	状况	成功	失败
1	对待错误	这是我的错，马上改	这不是我的错，这是…
2	对待成绩	幸运，大家努力的结果	都是因为我的努力
3	对待挫折	努力不够，方法不对	运气不好，他们不配合
4	对待问题	再次提高的机会	找借口，逃避
5	对待工作	还不够好，继续努力	已经很不错了

序号	状况	成功	失败
6	对待做事	站高一层,为他人服务	出于无奈,草草了事
7	对待同事	降低身份/看到优点	评头品足,尽是不是
8	对待上司	尊敬/辅助	看好看/表面一套
9	对待时间	每天进步一点	明天再说吧
10	对待先进	尊敬,学习,超越	排斥/找麻烦
11	对待利益	团队优先	利己主义
12	对待目标	树立高目标	留有余地

三、提高部下积极性

提高部下积极性就是正确运用激励的手段,通过强化大家物质和精神上最关心的目标,激发大家为实现目标而努力的精神力量,简单地说就是增强士气。

1. 学会理解部下

领导者在管理中要想提高部下的劳动积极性,必须有利己利人的双赢思维原则和将心比心的交流、倾听的习惯。

利己利人的双赢思维原则,就是要求领导者在考虑各种决策、行动时充分理解部下的利益,这种利益包括了身体的健康、家庭幸福、能力的发挥、技术水平的展示、晋级、物质经济的获得等。通过分析整合多数人的共同利益目标或者说最关心的方向采取一定的方法营造良好环境激发大家的积极性,达到效益的最大化,这样彼此的目标都达到了。

在工作中要经常注意关心对方本身情况。即对方提出要求、意见时,考虑采用何种理解方式,怎样付诸行动很重要。人们常说,"为别人做希望你做的事情"。唯有理解对方需要什么,在何种心情下工作之后,才能促进工作积极性的提高。团队协作固然十分重要,但在车间管理方面,恐怕需要倾注更多精力,重视个性的管理。

将心比心的交流、倾听的习惯,就是通常讲的换位思考,站在对方的立场上思考你下达的想法或言行是否能够让人接受,换位的通常基础就是倾听,充分听取部下的任何意见想法,并用心去交流。不要机械地以我为出发点考虑对方。

有个笑话是这样的。一位近视眼病人去看医生,医生说:"哦,这样吧你戴戴我的这副眼镜,我已经戴了很多年了,效果很好的,真的。"病人戴后说:"医生,我怎么更加看不清了?"医生说:"不可能的,我知道戴了后很清楚的。"病人还是说看不清,医生恼了,说:"你真是没救了。"

这就是一个典型的以我为中心的思考方法,现实生活中不乏这样吃力不讨好的事,作为领导者必须站在对方的立场上思考,人各有不同,个性相异,由此影响到观察事物的观点和应对的方法,知己知彼才能更易于激发人的积极性。人有各种各样的欲望和感情,在表现强烈和不满时采取的行动方式也因人而异,有必要预先理解这一点,对那些抱有不满和存在问题的人,最好的方式就是将心比心的交流,养成倾听的习惯,最大限度地获得对方的信息,作出准确的决策。

2. 了解个人差别与个性

千人千面,要了解人,就要知道人与人之间的差别,了解每一个人的个性。从以下几个方面就看出个人差别:(1)成长历史;(2)接受教育;(3)家庭环境;(4)技术技能;(5)智力;

21世纪高职船舶系列教材

ERSHIYISHIJI GAOZHI CHUANBO XILIE JIAOCAI

(6)工作知识;(7)兴趣爱好;(8)感受性;(9)社会适应性;(10)价值观;(11)经验;(12)精神成熟度;(13)生活环境;(14)体力;(15)性别;(16)年龄;(17)健康状态;(18)个人形象;(19)对事物的看法;(20)愿望;(21)体格;(22)血型;(23)宗教等。

要了解人,还要知道影响作业的身体、精神因素,主要有(1)疾病;(2)作业产生的疲劳;(3)担心受到斥责;(4)不稳定感;(5)恐惧;(6)家庭纠纷;(7)经济烦恼;(8)睡眠不足;(9)疲劳的累积;(10)误解;(11)缺乏自信;(12)其他。

管理者首先要充分理解部下的难处,以十分耐心的态度与部下交流,能够给部下带来很大帮助。身体不好的人,工作上就跟不上大家,因此工作成果当然低于正常状态下人的标准;由于担心和恐惧经常陷于不安的人,容易犯错误和产生事故等。另外,切不可忘记,部下看到、听到事情的理解方式也会影响人的行动。

管理者不要寄希望于改变其他人的感情和个性,能够做到的是,帮助部下避免不良的感情表达给周围的人带来不良影响。另外,充分理解各自的个性,通过间接地、充满耐心地持续做工作,使其本人不做不希望他做的事情,这也是管理者可以做到的。

3. 尽早发现、处理不满情绪

不满,被称作心癌。如果能够尽早发现、处理,对本人的益处自不待言,还可减少对周围的影响,有利于促进工作热情的提高。不满情绪可分为以下两类。

(1)与工作有关的情况引起的不满情绪

①管理者不考虑部下的想法。

②工具、用具、设备、机器不好。

③作业环境不安全、不卫生。

④作业分配不平等。

⑤同事们彼此性情合不来。

⑥加薪、升职的失误。

⑦正确的作业指导不够。

⑧未充分说明变更及其理由。

⑨不守约定。

⑩互相推诿责任。

⑪对部下关心不够。

⑫批评不恰当及惩戒不合适。

(2)工作以外的情况引起的不满情绪

①家庭内部纠纷。

②生活失常。

③经济问题。

④个人烦恼事。

⑤娱乐、社会生活、社会活动和工作相矛盾。

⑥交通不便。

⑦对个人前途感到不安。

⑧精神烦恼。

⑨身体缺点。

对于不满情绪,不管是那种情况引起的,管理者都要及时进行处理,消除不满情绪,以免

给工作带来负面效应。对不满情绪,可采用下述办法处理。

(1)进行指导援助,使本人能够专心从事工作

①让对方将郁积在心里的话,毫无保留地说出。

②帮助对方改换目标。

③让对方站在他人立场考虑问题。

④劝对方休息和治疗。

(2)整改构成障碍的环境、条件

①让对方说出感到不满的环境、条件。

②查明理由。

③说明监督者能够改进的对策。

④让对方理解不能立即改进的原因。

4."提高部下积极性"的自我检查表

	项　　目	经常做	一般	不常做
能力	尽力为部下安排能发挥自己能力的工作。 当部下能力不足时,给予指导提高能力。 努力发现潜在能力,予以活用。 确定能力开发的目标,并为达到目标提供帮助。 通过改变配置、升迁、晋级等,努力开拓发挥部下能力的途径。 努力开发部下能力。为适应设备和工作方法的改变做好准备。 向部下通报标准及工作情况,给予适当指导。			
努力	注意既不督促部下,也不威胁部下。 注意发现过分紧张,精神疲劳的部下。 建立良好的关系,当部下有问题时,能轻松地与自己商量。 尽可能及早发现部下的要求、不满。 妥善处理有问题及不满的部下。 部下中出现个人小集团时,进行适当处理。 部下之间出现对立、争执时,进行适当处理。 努力培养部下对于欲望、不满的忍耐能力。 当出现不希望看到的行动和错误时,进行适当指导。 注意不草率行动,施行超过需要的"变更"。 施行"变更"时,努力让部下知道其理由。 分配工作时,注意不出现过度精神、身体疲劳。 出现流言时,采取对策防止出现不必要的动摇。			
欲望	根据部下的个人差别和个性,采取相应的处理方式。 掌握部下的愿望和感情,再指派工作。 进行新工作和施行"变更"时,征求部下参与计划。 鼓励部下挑战从未做过的工作。 通过让部下担负某项责任,努力使其体会到工作的充实感。 努力让部下感受到在集体中的存在感。 吸取部下的创意构思,将其运用到实践。 设定小团体目标,为实现课题而努力。			

船舶工程专业

CHUANBO GONGCHENG ZHUANYE

四、加强与人的交流和沟通

1. 有效交流、沟通的要点

（1）谈话之前，预先考虑好"要传达什么"。换位思考后设计合理的传达方式。

（2）叙述错综复杂的事情时，事先考虑叙述的顺序。

（3）使用清楚的、对方易于理解的语言，慢慢叙述。特别在使用专业词汇时更要注意。

（4）下工夫考虑谈话方式，要注意对方的欲望（希望怎样、想成为怎样）、兴趣、爱好。

（5）一边确认对方是否已经理解，一边继续谈话。

（6）为确认对方的理解是否有误，应充分注意对方通过声音高低、强弱、表情、身体动作等表现出的反应，通过向对方提问推进谈话。

（7）认真倾听对方的发言，努力正确理解"对方想要说什么"。

（8）通过语言只能传达事情的一部分，因此需要注意以下几点。

①区别"事实"（是……）与"推测"（好像是……）。

②任何人都不可能对事物的全部了如指掌，所以应加上"据我所知……"、"就我而言……"。

③应通过"何时"、"何地"、"谁"、"多少"等具体表达形式说明。

2. 阻碍交流的因素

如果存在交流障碍，接受者就不能按照发送者的意图正确理解信息。发送者和接受者之间的理解度高，因而交流效果提高。理解程度低时，说明相应地存在较多的交流障碍。

（1）认识差异

个人的价值观、接受的教育、成长历史、过去的经验、现在的兴趣、爱好、所属集团组织的情况，会影响个人的认识方式。所以即使观察相同的状况，每个人的解释也往往大相径庭。

（2）信息的来遇

有时，"谁说的"比"说了什么"更能引起重视。如果发送者是一位拥有卓越知识、预见敏锐、可靠而值得信赖具有威信的人，就特别适合这一条。或许还可以这样说，在车间充满活力的岗位上工作的人说的话，往往受到其他岗位上人的信赖。

（3）言行不一致

当说话者漠不关心，没有表现出感兴趣的时候，听话人就不会重视其发言。因此，重要信息需要在安静、平心静气的情况下传达。另外，信息发送者的言行不一致时，其发言也不会得到信任、重视。

（4）环境

噪音及其他环境因素（人与人之间的距离和座位位置等）有时也会成为交流障碍。

3. 处理难以交流的人与场面的方法

（1）预见到推行你的想法有困难时

①预先设想对方可能提出的反对要求和意见，事先准备好应对办法。

②事先确定自己的要求能够让步到"何种程度"。

③选择"对方心情好的时候"。当事情很急时，让对方想起过去"心情好时的经验"，在双方之间营造出让对方能够理解你的气氛。

（2）当对方反对时

①积极找出能够同意的部分（哪怕只有10%也好），再提出与对方的不同点。例如可以

向对方征询"关于某事抱有同感,但关于某事想进一步详细了解您的想法",即所谓的求同存异。

②对对方的话表示出好奇心,探求其反对的理由,将对方作出的反应用积极的语言替换,尽量缓和对方的反对。

③无论对方还是自己,都尽可能不留下隔膜,努力寻找双方都满意的解决对策。

(3)从强烈反对者那里得到配合的方法

当自己认识到自己的要求无法通过、或难以实现时,不如将对方可能想说的反对意见作为开场白,放在自己的要求和意见之前说出来,有时会使对方不得不同意。例如,我很清楚完成这件工作是有一定困难的,可是……

(4)对话多的人

即使在对方说话的过程中,也可以一边确认"您要说的是…吧",一边继续谈话。

(5)对话少的人

向对方说"对您自己不利或为难的话不要勉强。只要谈谈不使您感到难受、说来无妨的事情就可以",这样一说,对方往往容易开口。

4.日常交流的重要性

在现实生活中,因人与人之间的信任、喜恶,或工作的开展方法、思考方法等价值观的差异,有时交流会很顺利,有时却很艰难。

我们知道管理者的日常工作非常繁忙,但为了发挥良好的领导能力,不仅在工作中,工作之外也要有意识地多与上级领导、相关人员、部下进行交流。特别是与部下的交流,诸如下班后所谓"美酒一盅话家常",利用工作及休息中五至十分钟短暂时间聊天都可以成为有效的手段。

利用平时较短的时间进行交流,可以让部下了解管理者的想法,甚至有时还能听到部下的真实想法。交流包括说话技巧和聆听方式,有时交流很容易成为管理者单方面的说教。仅是管理者一方说教的话,部下不但不想听,而且将管理者的话作出合乎自己想法的解释,结果会以管理者的自我满足而告终,未必能正确传达管理者的真实意图。与其相比,擅长倾听的管理者能让部下放心地讲话,容易了解到他们的真实想法,进而改善上下级信赖关系,顺利交流。

总之,仅仅凭工作上的晨会、指示和命令、传达之类的交流是不能发挥良好的领导能力的。可以说,利用日常聊天及喝酒等机会,与部下交谈的次数越多,在发生情况时,就越容易发挥领导能力。

5.善于倾听的方法

(1)面谈、对话、协商的心得

虽然现场会议上提出了各种各样意见,可真正能听进去的人有几个呢?特别是与自己相对立的意见,现实中是很难听进去的,即使是一对一的对话,聆听的难度同样存在。有时尽管自己打算认真倾听,但结果常常是自以为理解,实则不然。

如果我们站在第三者的立场上来分析"现场对话",发现这种聆听方式常常偏离要点,关闭了对方心灵的大门,即采取了错误的聆听方式,本人并没有意识到错误。虽然耐心倾听,但没有效果。

(2)错误的聆听方式

①急于求成。领导如果过分抱着好好倾听,敞开心扉交流的想法,反而会招致部下不愿

讲出心里话的反应。

②刨根究底。认为聆听就是'询问'的人一定不少吧？即所谓刨根究底的询问方式。听的一方千方百计追问原因,被问的一方当然提防,不愿讲出心里话。

③强加解释。领导喜欢对部下的意见、行动进行评价、加以解释。如果解释恰当的话,部下当然可以接受。但解释只是单方面的、独断的,对方很容易产生'强加于人'的感觉。分析自己是否听进对方辩解,是否只是一味推销自己的解释,这是纠正错误的要点。

④只听结果。对于繁忙的管理者来说,结论如何才是关心的焦点,因此容易发出这样的提问:结果如何？就部下的心情而言,并非只想单纯叙述结果,而是希望能听一听中间过程,希望管理者了解部下内心的心情。

(3)高明的聆听方式

①创造便于交流的气氛

正如在明亮或黑暗的地方瞳孔大小会发生变化一样,心灵之窗的开启也会随着环境气氛的不同发生变化,紧闭的心扉在温暖轻松的氛围中,也会逐渐自然放松。

(a)选择环境。选择便于交流的场所和条件。一般人马上会想到安静、没有他人、能够平心静气交谈的房间。其实这样严肃的环境有时反而让对方感到紧张。

(b)坐的位置。上级与部下坐的位置怎么样呢？从经验上讲,与其说两者面对面坐着,不如稍微斜一点,成八字型角度,更容易进行交流。

(c)烟、酒、茶、点心。递上一根烟,说"来一枝吧",或拿出打火机为他点烟等都可以说是非常普通的社交技术。并且通过敬酒、敬茶、上点心,能够较容易创造便于交流的氛围。

(d)情景构成。这是明确对话双方关系,形成基于援助作用的情景。具体说,是向对方传达这样的意思:"我在这里敞开心扉听你讲话,希望尽可能帮助你。"

(e)自我放松。如前文所述,上级虚张声势会产生相反效果。为了创造容易交流的氛围,让对方讲出心里话,与玩小聪明、要嘴皮子相比,重要的是先放下包袱,自我放松。

②有效运用沉默

处理沉默的方法很难,但聆听方式最大要点就是擅长处理沉默,这么说一点也不过分。沉默大体可分为扫兴的沉默和精神充实的沉默。只要仔细观察对方眼睛及态度自然知道属于哪一种沉默。部下内心产生新矛盾,进行思想斗争时常常出现沉默。重要的是一直关注这种沉默,并且忍耐下去,如果对此不再感到痛苦,你就能够成为好的听众。沉默中存在非语言性交流。

③将感情明确化

部下言语中肯定包含某种感情。一般面谈没有将感情当一回事.但为了打开部下心扉将感情作为重点,予以明确,就能走近对方心灵。具体而言.就是从对方话中提炼出真意,用反问形式确认,"你是想说……吧?"、"你是认为……吧?",用这种形式加以明确。换句话说,这种方法就是向对方反馈上级是否理解部下心情,它有益于交流的"轨道修正"。

④注意表情、态度

了解部下心情,不只是听,更重要的是关心他的表情、态度、及其他一切非语言表达行为,理解其含义。"眼睛是心灵的窗户",特别是眼神、手势等很重要,从局促不安状态到放松、充满自信状态,通过观察可以了解到传递的信息。

⑤发现共同之处

敞开心扉之时,就是找到相互存在共同点之时。出身地、学校、朋友、兴趣、住址、家属、

环境、爱好等,且不谈内容,只要两者之间有共同地方,就会迅速产生亲近感,谈话继续进行下去。尽管如此,即使没有共通之处,也无需牵强附会。生活中彼此都难免有苦恼,树立这样的认识,以分忧解愁的态度创造谈话的共同基础。